D1537512

Bouquets

Ursula Wegener

Bouquets

Histoire - Techniques - Composition

44 photos en couleur
106 photos noir et blanc
149 dessins

Traduit de l'allemand par Peter Geiger

EDITIONS
EUGEN
ULMER

Tous les bouquets dans ce livre : Ursula et Paul Wegener
Photos en couleurs : Michael Olders, Dieter Woog et Wilfried Zeckai
Photos en noir et blanc : Paul Wegener
Dessins par Sigfried Lokau

L'édition originale de cet ouvrage a été publiée en allemand par Eugen Ulmer GmbH & Co.
Titre original de l'œuvre :
Sträuße
de Ursula Wegener
©1992 Eugen Ulmer GmbH & Co.

Les droits d'auteur de cet ouvrage sont strictement réservés, qu'il s'agisse de reproduction intégrale ou même partielle.
À défaut de consentement de la part de l'éditeur, l'utilisateur contrevenant aux prescriptions sur les droits d'auteurs sera passible des sanctions prévues par la loi.
Ceci est valable pour toute espèce de reproduction y compris traductions, microfilms, saisies ou traitements par des systèmes électroniques.

ISBN 2-84138-016-5

Édition française ©1995 Les Editions Eugen Ulmer
1, rue de l'Université, 75007 Paris
Traduction de l'allemand : Peter Geiger
Lectorat : Adélaïde Stierli
Maquette de couverture : Alfred Krugmann (Photo : Michael Olders)
Composition : Paris Photocomposition, 36, avenue des Ternes, 75017 Paris
Impression et reliure : Grammlich, Pliezhausen

Dépôt légal : 4e trimestre 1995

Préface

« Ah, bon ! Ce n'est qu'un bouquet de fleurs ! » – « Oh, un bouquet de fleurs ! »

Ces deux exclamations contiennent des jugements de valeur diamétralement opposés. D'un côté, on observe un mépris lié à la constatation qu'un tel bouquet ne peut pas représenter une valeur réelle, que ce soit au niveau idéal aussi bien que financier. Celui qui reçoit le cadeau risque d'être déçu du fait qu'il ne s'agit que de fleurs, et le fleuriste, à qui la commande a été passée, aurait aimé effectuer un travail plus exigeant.

De l'autre côté on peut voir la surprise et le ravissement face à un bouquet, à son choix et à sa composition. La valeur matérielle du bouquet ne se situe pas au premier plan, qu'elle soit modeste ou considérable. Ce qui compte c'est la sensibilité et le savoir-faire de celui qui a composé le bouquet et qui – aidé par l'influence et le charme des fleurs – a permis au bouquet de devenir un événement digne d'être admiré.

Le bouquet peut être destiné à une tâche précise, et alors c'est à ce moment-là qu'il devra y être adapté ; sa composition devra s'orienter à cette tâche et aboutir à un résultat adéquat. En outre, un bouquet peut présenter des qualités qui le placent très au-dessus du pur aspect artisanal, même si celui-ci doit bien entendu constituer sa base. Vu sous cet angle, un bouquet représente plus qu'un objet fonctionnel, utilitaire et fabriqué artisanalement. Si l'on veut dépasser cette base, on développera des sentiments esthétiques et on se confrontera aussi à la culture, à la nature et à l'environnement afin de tirer profit des expériences faites dans ces domaines. Il n'est pas dans nos intentions de classer d'emblée l'arrangement floral dans la gamme des productions artistiques, mais ces aspect joue un rôle significatif au niveau de la nature de l'arrangement.

Normalement, les bouquets sont des éléments ordinaires de la vie quotidienne. Or un travail de tous les jours peut être vu sous un angle qui sort de l'ordinaire afin de rendre visibles des traits particuliers et des relations précises entre forme et contenu. De multiples aspects et thèmes peuvent être le point de départ d'un bouquet : les saisons, les motifs tirés de la nature, les couleurs, les formes, les matériaux, etc. Ces approches nous donnent toujours la possibilité d'éviter la composition de bouquets ennuyeux ou fades.

En principe, les bouquets naissent grâce à des techniques de composition simples, mais ils peuvent en même temps représenter des formes plus compliquées. De nombreuses images symboliques et de multiples significations peuvent y être rattachées : la joie et la tristesse, le faste et la représentation, l'intimité et la poésie, la mode et l'extravagance, le devoir, la surprise et beaucoup d'autres aspects. Les bouquets ont une histoire : ils ont laissé des traces dans des tableaux et des gravures, dans des descriptions concernant le mobilier, les relations sociales et les modes de vie. Ils n'ont jamais influencé une mode, mais ils ont été influencés par la mode.

L'uniformité et le manque de sensibilité qui règnent trop souvent dans la composition et la présentation d'un bouquet ne traduisent pas les possibilités d'expression diverses et variées qu'il possède. Il est dommage de se contenter de la maîtrise de quelques formes standard. Le bouquet mérite la plus grande attention et la plus grande imagination possible afin que personne ne soit plus amené à dire : « Ah, bon ! Ce n'est qu'un bouquet. »

Ursula Wegener

Table des matières

Préface 5

L'évolution de l'art des bouquets et ses aspects contemporains 9
Les formes des bouquets et des arrangements floraux des temps passés et à notre époque 9
Les fleurs classiques des fleuristes et l'évolution de l'art des bouquets 17
Les petits et les grands bouquets ; les bouquets simples et les bouquets particuliers 23
Le bouquet, un ouvrage fondamental de l'art floral 26

Les traits caractéristiques de la composition 30
L'ordre et l'harmonie 30
Des formes de croissance et du mouvement 37
L'origine et la constitution 44
Le caractère et l'influence 48
Les fleurs symboliques 51
La couleur 55
Le bouquet et son récipient 58

L'aspect artisanal de l'art des bouquets 63
Les moyens techniques 63
Les techniques utilisées 66
Des bouquets divers et variés 72
Conserver et soigner les bouquets 83

Les différentes formes de bouquets et leurs traits caractéristiques 85
Des formes proches de la nature 85
Des formes décoratives 88
La composition linéaire 94
Des structures et des textures 98
Des formes sphériques et drapées 101
Des formes interrompues 103
La mise en valeur des proportions et des dimensions 106

Les thèmes liés aux bouquets 111
Le printemps 111
L'été 115
L'automne 121
L'hiver 124
Les fleurs de tous les jours 130
Des thèmes de bouquets inspirés de paysages 144
Des bouquets sauvages proches de la nature 149
Des bouquets composés de mauvaises herbes 151
Des bouquets cueillis « en chemin » 152
Les différents aspects d'un contenu 153
Des bouquets qui racontent des histoires 156
La splendeur et l'abondance 156
La conservation et le dépérissement 157
Des formes anciennes comme sources d'inspiration 162
Bibliographie 170
Index 171

L'évolution de l'art des bouquets et ses aspects contemporains

Le bouquet, à l'image d'autres, compositions horticoles et fleuries, est aussi soumis aux valeurs formelles et expressives de l'époque dans laquelle il a été créé. Le regard sur les approches historiques est aussi important que celui sur les résultats de l'évolution qui tirent bien évidemment leurs bases du passé.

Il ne s'agit pas d'une imitation sans créativité lorsqu'on est conscient des origines, que l'on confronte des éléments de composition isolés ou des étapes remarquables, à des points de vue privilégiés de nos jours. Les conclusions que l'on peut tirer de cette confrontation, évitent la simple imitation des moyens stylistiques, et on aboutit dès lors à de nouvelles perspectives et de nouveaux défis.

Un bouquet figurant le mouvement, d'après un tableau du XVIIIe siècle. « Les peintres se composaient un modèle de fleurs vivantes d'une manière simple et naturelle et créaient leurs tableaux d'après ce modèle... » (Olbertz, 1922).

Les formes des bouquets et des arrangements floraux des temps passés et à notre époque

Les formes les plus anciennes appliquées aux fleurs, étaient des gerbes d'ornement pour des tombeaux et des bouquets rituels utilisés lors de sacrifices (nous faisons ici abstraction de leur usage partiellement médical). Nous pouvons considérer que l'histoire des ornements floraux est paralèlle à celle de l'horticulture. C'étaient, en premier lieu, les jardiniers qui étaient responsables de l'utilisation et de la transformation des fleurs. Ils cultivaient les jardins seigneuriaux et s'occupaient du décor floral lors des fêtes. Or si nous prenons, par exemple, les plans des jar-

Un bouquet statique d'après un tableau du XVIIe siècle. « Il y a longtemps que les fleuristes auraient pu arriver facilement à un niveau artistique plus élevé, si seulement ils avaient su suivre les exemples de la peinture. Mais ils préfèrent suivre leurs propres chemins. » (Olbertz, 1922).

L'inspiration venue d'une époque ancienne et celle de l'époque contemporaine (page de gauche). Comment étaient en réalité les anciens arrangements de fleurs coupées ? Le souhait de s'en faire une image, réunit des aspects anciens et nouveaux. Voici des fleurs et des feuilles différentes, séchées et conservées avec du gel de silice et de la glycérine ; du fil de fer, de la dentelle et du cristal de verre.

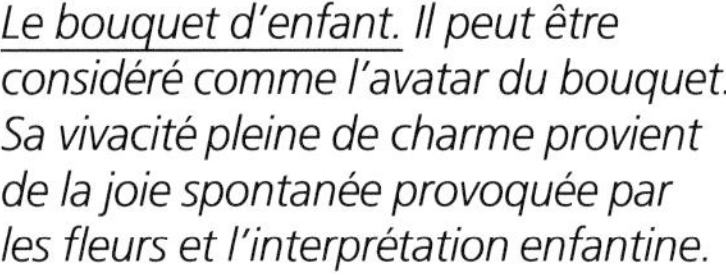

Le bouquet d'enfant. Il peut être considéré comme l'avatar du bouquet. Sa vivacité pleine de charme provient de la joie spontanée provoquée par les fleurs et l'interprétation enfantine.

Une Gerbe des années 1870. Dans beaucoup de régions en Allemagne et en Autriche, et avant tout dans les régions des pré-Alpes, on profite de nombreuses occasions pour nouer encore ces gerbes populaires.

Un bouquet, des années 1890, de « fleurs du marché ». Les traits caractéristiques des bouquets représentés ici sont éloquents. Ce qu'ils sont en commun, c'est la simplicité joyeuse et le choix des fleurs est très naturel.

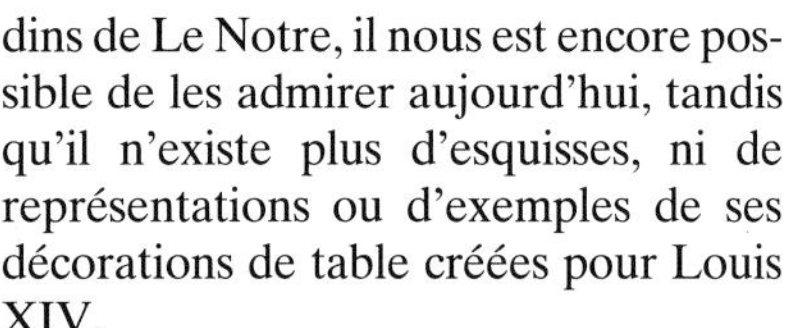

dins de Le Notre, il nous est encore possible de les admirer aujourd'hui, tandis qu'il n'existe plus d'esquisses, ni de représentations ou d'exemples de ses décorations de table créées pour Louis XIV.

En regardant le bouquet du point de vue historique, on ne peut qu'aboutir à la conclusion que sa place, dans le travail de fleuriste qu'effectuait le jardinier, a été pendant longtemps peu importante et subordonnée aux autres activités. Les bouquets qu'on peut encore voir sur l'une ou l'autre représentation, étaient plutôt des éléments végétaux destinés à occuper les vases selon les habitudes de l'époque. Il y avait des décorations florales chez les Egyptiens et plus tard chez les Grecs et les Romains. Les jardins et l'horticulture ont le même âge que les grandes civilisations elles-mêmes, que ce soit en Europe, en Asie ou en Amérique latine. Mais il n'est pas justifié de faire remonter l'art des bouquets aux mêmes époques ; cela serait à coup sûr en contradiction avec des données provenant de l'histoire de l'art et de l'ethnologie. Le bouquet en tant que forme indépendante, composée en tant que telle, ne se développe sans doute qu'à partir du début ou du milieu du XIXe siècle. Après la période du classicisme et celle du romantisme (d'environ 1790 à 1830), le domaine privé de la maison, du chez-soi, gagna en importance avec la Restauration (à partir de 1848).[1] Durant cette période-là, le bouquet de fleurs devint, qu'un signe de la vie intérieure et qu'une petite forme bien familière, un attribut de la bourgeoisie.

1. Les périodes historiques mentionnées ici concernent surtout l'histoire de l'Allemagne ; en ce qui concerne la France, elles sont décalées dans le temps (exemple : la Restauration se situe entre 1815 et 1830). (N.d.T.)

Un bouquet, autour de 1900, de « fleurs du jardin ». Ici, rien n'est trop voyant ni artificiel. Le mélange de petites fleurs d'été, parsemées d'épis et d'herbes, est simple et modeste.

Des fleurs de serre classiques (à droite). Des roses, des géraniums odorants, du jasmin, des gardénias, des fuchsias – et des stéphanotis donnent ensemble un aspect très traditionnel. On peut encore le souligner avec une enveloppe en soie moirée et en dentelles précieuses.

Des particularités gracieuses (en bas). Un bouquet modeste avec des fleurs fines et petites rappelle des arrangements du passé dans lesquels chaque fleur paraissait être précieuse, ce qu'elle était sans doute. Viola, Rehmannia, Geum, *l'Ancolie blanche à labelle allongée,* Allium unifolium *rose et petit,* Cerastium, *l'*Astrantia major *'Sunnigdale Variety'.*

L'essor industriel, qui se manifeste à cette époque-là et qui enrichit les milieux bourgeois, privilégie la splendeur et la représentation. Les années de Fondation* et une nouvelle conscience du pouvoir déterminent la vie vers la fin du siècle.

Depuis longtemps déjà, l'horticulture et les parcs ne sont plus l'apanage des princes ou des propriétaires terriens. Des entreprises horticoles voient le jour. Elles mettent sur le marché des produits ayant des qualités commerciales et artistiques ; elles s'adressent à une clientèle de plus en plus nombreuse.

Les fleurs sont alors utilisées à des fins de représentation.

Le *bouquet*** gagne rapidement en popularité. Sous sa forme ovale et allongée, on le désigne sous le nom de « bouquet Pompadour » ; le « bouquet

* Il s'agit des années après la fondation de l'Empire allemand en 1871. (N.d.T.)

** Dans le texte allemand apparaît le mot français « Bouquet » pour désigner un certain type de bouquet tel qu'il est décrit dans le texte. Le mot français *bouquet* qui est la simple traduction de « Bouquet » apparaît en italiques. (N.d.T.)

Un petit bouquet romantique.
La perception de certaines valeurs créatrices d'ambiances qui émanent des plantes, ainsi qu'une sensibilité personnelle face à la nature, sont des représentations romantiques qui agissent jusqu'à nos jours.

Un équilibre digne d'être aimé.
La concordance possible de formes habituelles provenant d'époques différentes peut paraître gracieuse de cette manière-là.
Muscaris, Anemone blanda *et* Anemone nemorosa, Primula pubescens *et d'autres.*

Un bouquet rond français autour de 1840. Toutes les tiges végétales ont été montées sur du fil de fer ; les tiges en fil de fer ont été soigneusement cachées sous un fond de bouquet composé de papier, de satin et de dentelles.

Un bouquet Biedermeier autour de 1830. Le bouquet était monté sur du fil de fer ; une fleur centrale était particulièrement mise en relief et rehaussée, toutes sortes de motifs et d'initiales étaient arrangés symmétriquement.

Un bouquet Biedermeier autour de 1860. La forme est plus aérée, mais les fleurs continuent à être soutenues par des tiges en fil de fer qui sont toujours cachées avec du papier ou du tissu.

Le bouquet Makart. Le bouquet vient du peintre viennois Makart qui avait l'habitude de décorer sont atelier avec différentes feuilles de palmier, des herbes de la Pampa, et avec des plumes de paon.

Le bouquet composé d'herbes. « Les gracieux bouquets composés d'herbes se distinguent en particulier par leur port léger, agréable et élégant. » (Braunsdorf 1890).

Un bouquet composé de fleurs naturelles. « Les bouquets qu'on assemble en utilisant des fleurs naturelles n'apparaissent qu'à des occasions particulières... ils comptent parmi les tâches les plus difficiles de tout l'art floral. » (Braunsdorf 1890).

Des petits bouquets pour les fêtes et les arrangements de table. *Braunsdorf écrit à propos d'eux : « Ils sont composés gracieusement sous une forme ronde ou plate, avec ou sans fond de bouquet ; on y trouve des roses, des œillets, des fuchsias, des héliotropes,* Thymus citriodorus, *des médéolas et des myrtes. Le diamètre de ces bouquets qui possèdent un fond, ne devrait jamais être en-dessous de 30 cm, mais il peut dépasser de loin 1m. Les bouquets utilisés lors d'un bal ne doivent pas dépasser les 25 cm. Selon la finesse du travail, ils peuvent être entourés de fonds de bouquets en papier cartonné blanc ou coloré, en taffetas ou bien en satin blanc ou coloré, ou encore garnis d'un riche ornement en dentelle de soie... Les bouquets plats peuvent être noués pour être mis à la boutonnière ou sur la table, ce qui ne saurait pas manquer pour les dames ».*

Le bouquet Pompadour. *« Sans qu'il y ait un danger pour le fond de bouquet, on peut poser ce bouquet sur la table en ayant constamment devant les yeux la surface intégrale que représentent les fleurs. Dans ce bouquet, les fleurs sont montées sur fil de fer et piquées dans de la mousse. « (Schmidt autour de 1900).*

Un arrangement pour lequel on utilise un cornet. *« Il est composé de façon similaire au bouquet Pompadour. Cette composition florale originale consiste en un cornet fabriqué avec du carton glacé ou "ivoire", garni avec des dentelles de soie ou des rubans de satin. » (Schmidt, vers 1900).*

Un bouquet à offrir et qui est uniquement travaillé d'un côté.
« Il y a quelques années, le bouquet *était encore demandé d'une façon générale, tandis que la mode contemporaine s'est fixée sur une composition qui se passe complètement d'un pourtour. » (Schmidt, autour de 1900).*

Un petit bouquet aux fleurs romantiques. L'équilibre entre la forme et la silhouette devient plus doux et plus vivant grâce à la disposition des fleurs et des vrilles. Des roses, des marguerites, des gentianes, Clematis alpina, *etc.*

rond » en revanche est, comme le dit le nom, rond et relativement plat. Le *bouquet*, de quelque type qu'il soit, reçoit dans tous les cas un fond de bouquet – toujours différent comme encadrement ou enveloppe. Il peut être composé de papier ou de satin, avec ou sans garniture en dentelles.

Les fleurs ont toujours été soutenues par un fil de fer, ensuite on enveloppait les tiges et le fil de fer avec du papier assorti au bouquet. Il n'y avait pas de tiges naturelles qui pouvaient être immergées.

La différence entre un *bouquet* travaillé et un bouquet naturel résidait, chez ce dernier, uniquement dans l'absence du fond de bouquet, le principe de composition restant le même : toutes les fleurs et tiges étaient montées sur du fil de fer. Le fait de resserrer étroitement les fleurs et d'envelopper les tiges donnait une certaine stabilité.

La forme du bouquet pouvait être ronde, allongée ou ovale. La taille d'un bouquet ne devait pas dépasser 35 cm et seulement 6 cm pour les bouquets qu'on mettait à la boutonnière ; tout ce qui était plus grand, témoignait d'un mauvais goût avec une connotation provinciale. Contrairement au *bouquet* travaillé, le bouquet naturel passait pour être moins formel et rigide, ayant plutôt un caractère gracieux et spon-

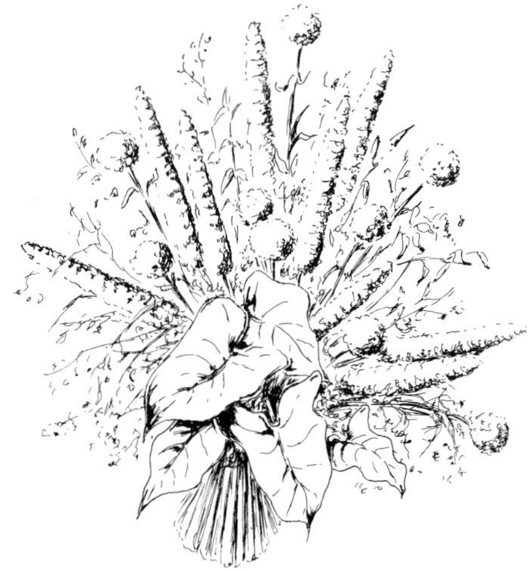

Un bouquet allemand naturel. « Un avantage tout particulier de ce bouquet en comparaison avec d'autres arrangements, est que le bouquet allemand peut être mis dans l'eau avec ses tiges naturelles. » (Schmidt, autour de 1900). Les premiers bouquets de cette nouvelle mode ressemblaient fortement à des bouquets de forme de pyramide, et ce n'est que progressivement qu'ils sont devenues plus naturels.

Un lien naturel entre les plantes – Un caractère décoratif prononcé. « Dans ses compositions, le fleuriste part de la morphologie de la plante... » (Andresen, 1963).

tané. Cette distinction est pourtant étonnante, étant donné la présentation compacte du bouquet et la présence du fil de fer.

L'évolution des *bouquets* travaillés et naturels allait par la suite si loin, que les arrangements prenaient des dimensions monumentales, surtout dans le cas de cadeaux honorifiques ou représentatifs. On dépassait alors, de loin les 35 cm qui avaient été recommandés pour la hauteur et la largeur. Avec leurs dessins ou leurs monogrammes occupant une grande surface, ces bouquets nous donnent aujourd'hui l'impression d'être devant de grandes tartes fleuries ; les bouquets en forme de pyramides sont comme des montagnes fleuries alignées symétriquement.

Les bouquets en forme de pyramides étaient noués, en partie, avec des tiges entourées juste partie avec des tiges naturelles, mais qu'on ne pouvait pas mettre dans l'eau. La fleur centrale, fixée à une baguette, était le point le plus haut du bouquet ; on attachait ensuite toutes les autres fleurs et des éléments verts correspondants tout autour de la baguette.

Vers la fin de cette période de composition florale formelle, de tels bouquets pouvaient atteindre plus d'un mètre en hauteur ou en largeur. Mais petit à petit, la mode qui conduisait à des formes de plus en plus étranges fut relayée par le bouquet naturel. Ce dernier, pour le distinguer du *bouquet* travaillé ou du bouquet tout court reçut le nom de « gerbe à longues tiges » ou « bouquet naturel allemand » ; ceci pour souligner qu'il n'était pas, comme les bouquets précédents, monté sur du fil de fer. On insistait toujours sur l'avantage de sa longue conservation puisque ses tiges pouvaient être plongées dans l'eau.

L'art de nouer habilement le bouquet naturel allemand fut laissé à l'appréciation personnelle, ainsi que le reconnaissance de la particularité d'une fleur ou les soins particuliers à apporter. Quant aux propositions écrites de cette époque, elles restent très sommaires ; on y trouve, par exemple, le conseil de toucher les tiges souples avec délicatesse, les tiges ligneuses avec plus de force. Que les fleurs et les éléments verts soient rassemblées d'une façon assez lâche, pour être finalement arrangées et nouées ; ou que chaque tige soit fixée séparément par une ficelle ou du raphia, ne jouait aucun rôle, pourvu que le bouquet soit beau. On pensait alors à une forme assez équilibrée dans laquelle les fleurs étaient disposées d'une façon assez dense et bien visibles de devant.

Ce n'est que progressivement que les recommandations pour les compositions florales sont devenues moins sommaires. Bien qu'autour de 1920 on soit encore à expliquer que les fleurs devaient être rassemblées dans la main de sorte à ce que leur beauté puisse s'épanouir pleinement, on arrive, quinze ans plus tard, à parler déjà de point focal, même si on doit encore attendre le moment ou on entend parler de composition en « S » ; au moins, le pré-liage était à l'ordre du jour.

Le *bouquet* était alors arrivé en fin de carrière et le « gerbe à tiges longues » et le « bouquet allemand naturel » sont devenus le bouquet à proprement parler. Dans les années 1950, le bouquet a continué à gagner en signification ; la technique artisanale se précisa et les formes devinrent plus variées. Ainsi, à partir des débuts modestes, des gestes les plus communs et simples, nous aboutissons à des pièces individuelles après un passage par des développements pompeux.

Les fleurs classiques des fleuristes et l'évolution de l'art des bouquets

L'horticulture commerciale connut une première période faste au milieu du XIXe siècle ; à cette époque-là, beaucoup d'horticulteurs célèbres fondaient leurs entreprises. On peut citer des

Un bouquet du début de l'été, avec des hortensias et des roses. Le bouquet est généreux et doux. Les variétés anciennes de roses portent leurs fleurs sur de courtes tiges, appuyées sur des branches recourbées ; cela crée une ambiance détendue et nostalgique. Rosa centifolia *'White Moss'*, Rosa x alba *'Great Maiden's Blush'*, Hydrangea arborescens *et d'autres.*

La belle fleur (à gauche). Elle déterminait l'expression d'un ouvrage ; d'autres facteurs comme le mouvement et la forme sont des valeurs de l'époque actuelle.

Des fleurs démodées. Le jasmin, les fuchsias, les œillets et les roses étaient à la mode pendant le XIXe siècle ; ils le sont encore aujourd'hui, sous d'autres aspects.

Les pensées et les épis séchés. Pendant le dernier tiers du XIXe siècle, les bouquets secs faisaient partie de l'aménagement d'un appartement.

Un bouquet d'œillets. Des œillets magnifiques, à tiges longues, étaient la fierté des « Jardiniers d'art et de commerce », ils comptaient parmi les fleurs les plus demandées.

De nobles lys. C'est avec les fleurs coupées comme les œillets, les lys et les roses que l'époque des bouquets, montés sur du fil de fer, toucha à sa fin.

noms comme VAN HOUTTE, VERSCHAFFELT, HAAGE, BENNARY, VILMORIN (dès 1770) et d'autres. Ils se procuraient, par des voyages, des importations, l'échange de plantes et par leur propre travail de sélection, des espèces et des variétés qui étaient souvent entièrement inconnues jusque-là ; vers 1860 et dans les décennies qui suivaient, un très grand nombre d'entreprises horticoles virent le jour. Ces nouveaux horticulteurs commerciaux étaient en mesure de rallonger la période de floraison habituelle, et en plus ils réussirent à augmenter le niveau qualitatif de leur production ; beaucoup d'entre eux pouvaient présenter, dans leur catalogue annuel, de nouvelles variétés. Un peu plus tard, une partie de ces entreprises consacrait ses efforts au commerce des fleurs qui devint ainsi une composante importante de la production horticole. Le nom d'« Entreprise horticole d'art et de commerce » n'était pas seulement une appellation professionnelle, mais elle correspondait aussi, dans la plupart des cas, aux capacités des entrepreneurs. La culture de plantes inconnues ou peu connues devait être maîtrisée, la technique et les matériaux devaient être améliorés et modifiés sans cesse. Dans la plupart des domaines de l'horticulture la seule possibilité était l'apprentissage empirique. Mais tous ces efforts des horticulteurs faisaient que beaucoup de plantes devenaient plus résistantes, tout en ayant un meilleur rendement ; elles présentaient aussi de plus en plus des fleurs à tiges longues. À cette époque, il n'allait pourtant pas de soi qu'on considérât comme naturelles les fleurs coupées. Lorsqu'on parlait, vers 1870, de « plantes de jardin et d'appartement », on pensait toujours à la plante décorative entière. En passant, il fut aussi occasionnellement question du comportement des fleurs coupées, en rapport avec la recommandation tout à fait sérieuse, de protéger celles-ci par un couvercle en verre. Dans le cas de petits bouquets et d'autres arrangements, il fallait défaire ceux-ci en libérant les pédoncules et les petites tiges du fil de fer et en les disposant dans l'eau entre des coussins de mousse.

Cela changea rapidement et, déjà avant le début de notre siècle, on trouvait des listes de fleurs coupées, sur lesquelles étaient soulignées les fleurs particulièrement importantes et aussi celles qui étaient, à un moment donné, à la mode. L'offre en fleurs était dépendante de l'évolution des arrangements sur le plan des formes, des habitudes et de coutumes, mais l'influence a dû être réciproque.

La popularité de certaines fleurs est en rapport avec les prédilections d'une époque, celles-ci avaient des sources très diverses. Ainsi une personnalité célèbre, ayant un faible pour certaines fleurs, pouvait en être l'origine ; ou bien la mode préférait peut-être certaines couleurs qui se retrouvaient dans telle

ou telle espèce ou variété végétale. On prit aussi conscience des influences venant de l'architecture, de la peinture et de la littérature, et cela fut discuté dans les premières revues spécialisées.

Il existait un certain nombre d'espèces florales qui étaient typiques de compositions bien précises. A côté des fleurs plus longues, considérées comme « nobles » – on disposait entre-temps plus souvent de roses à tiges longues – il y avait en quantité suffisante des fleurs à tiges courtes ou de petit format qui correspondaient aux coussins et aux corbeilles, aux cornes d'abondance ou aux centres de table ; elles correspondaient aussi à beaucoup de bouquets qui se trouvaient à cette époque en transition entre l'arrangement monté sur du fil de fer et l'arrangement sans fil de fer.

Les fleurs populaires du XIXe siècle

Les fleurs à tiges courtes

Les branches de fleurs d'oranger, les jacinthes, les cyclamens, les violettes, les primevères, *Bellis* (pâquerettes), les myosotis, les giroflées, les muguets, les azalées, les pensées, les oreilles-d'ours, *Begonia semperflorens*, les gardénias, les gloxinias, les géraniums, les pétunias, *Primula chinensis*, les résédas, *Stephanotis*.

A cette liste s'ajoutent bien entendu les roses, puisque la plupart des anciennes variétés possèdent des corolles rondes et bien remplies ; leur port est légèrement penché et leurs tiges sont courtes.

En regardant ce choix de fleurs coupées, on remarque qu'une partie de ces fleurs n'est plus utilisée aujourd'hui que dans les pots, sur les plate-bandes et les balcons.

Un bouquet ovale, travaillé des deux côtés. Des bouquets à contours fermés exigent plutôt l'emploi de fleurs de petit format qui correspondent mieux à des formes denses que les grandes fleurs : des véroniques, de vesces, de asters, de la sauge etc.

Des roses et de la clématite (page de gauche, en haut). De la clématite 'Niobe', Rosa centifolia 'Muscosa', la rose bourbon 'Variegata di Bologna', la rose remontante 'Ulrich Brunner fils'.

Un bouquet estival (en haut). Les « fleurs de toutes les saisons » n'étaient pas habituelles ; en revanche, un grand nombre de fleurs de balcon et de plate-bandes faisaient partie du choix en fleurs coupées.

Les fleurs à tiges longues

Les chrysanthèmes, *Calla* (arum serpentaire), les bouvardia, les œillets, les lys, les pivoines, les tubéreuses, le lilas, les tulipes, les orchidées et bien entendu les variétés de roses plus récentes comme 'M. van Houtte', 'Nabonnand', 'Richmond', 'Safrano', 'Druschki', 'Brunner' et d'autres.

Le fait que ces fleurs soient maintenant proposées plus fréquemment, et surtout avec régularité à contribué à un changement de l'art des bouquets. Les bouquets montés sur du fil de fer finirent par disparaître. Les arrangements sous forme de coussins, les corbeilles à surfaces denses, les arrangements par couches ou avec des corolles resserrées ont perdu en signification.

L'amélioration permanente des variétés et une offre toujours plus riche, même pendant le semestre d'hiver, firent le reste.

Hippeastrum et *Amaryllis belladonna* apparurent ; chez les horticulteurs et sur les grands marchés, il y avait *Eucharis*, des euphorbes, des clivias, *Lapageria*, des glaïeuls et ainsi de suite. Avec cela, on pouvait vraiment faire quelque chose, d'autant plus que, pendant le semestre d'été, se rajoutaient des plantes annuelles et bisannuelles encore moins chères, ainsi que de la coupe des vivaces.

C'est aussi dans ce domaine-là, que les choses progressèrent pendant cette période ; des commerces célèbres en témoignent.

Les feuilles décoratives et la verdure d'accompagnement existaient dans des variétés étonnantes. Il y avait ainsi des variétés d'érables, de hêtres et de bouleaux pourpres, de chênes et de mahonia à petites feuilles, du houx (*Ilex*) à feuilles multicolores, et d'autres arbres ; il y avait encore des espèces d'*Asparagus*, de *Cissus*, de *Ficus* à petites feuilles, du lierre, de *Cyperus*, de *Croton*, des bégonias, des myrtes, des feuilles d'oranger et de citronnier, du laurier, *Isolepis*, des feuilles de *Pelargonium* (géranium), des hostas, des fougères etc...

Un arrangement composé d'une rose et d'un lys (à gauche). La rose est entourée de feuilles et de branches de saule pleureur. Le lys se dresse, bien en valeur, au milieu des branches et des feuilles.

L'élégance simple (à droite). Des panicules en fleur, provenant de vivaces, ainsi que des graminées et du feuillage donnent une impression généreuse, grâce à leur attitude simple qui traduit apparemment un laissez-faire.

Les petits et les grands bouquets ; les bouquets simples et les bouquets particuliers

Un grand bouquet avec beaucoup de petites fleurs a un tout autre éclat qu'un petit bouquet avec de grandes fleurs. Cependant l'ambiance n'est pas vraiment créée par les proportions et les formats, mais par la manière de traiter les particularités des fleurs dans une composition et par la façon de présenter le bouquet au spectateur. Lorsque le bouquet n'est pas traité comme un cliché, comme dans un catalogue, quand il doit représenter plus qu'un rajout décoratif ou l'attribut d'un standard social conventionnel, il peut être ressenti d'une façon subjective. Et cela dans toute la force du terme ; l'arrangement est alors plus qu'une belle décoration, mais il peut transmettre de l'émotion et de l'ambiance. C'est, dans ce cas-là, qu'il va indépendamment de sa taille, se distinguer de la norme moyenne et ennuyeuse. Et il ne va surtout pas détruire ce qui rend les fleurs si singulières et particulières, leur grâce et leur enchantement, leur faculté tout à fait naturelle de provoquer la joie et la surprise.

Celui qui voudrait éviter des arrangements standard, doit mobiliser sa force d'imagination et sa capacité d'expression qui lui permette de choisir entre des regards et des interprétations possibles. Celà touche le spectateur dans sa subjectivité, et il n'aura plus de vision prosaïque et neutre.

Intensifier ce qui existe

Qu'est-ce qui doit se produire pour qu'on ne passe pas à côté d'un petit bouquet avec des fleurs simples, mais pour qu'on le remarque comme quelque chose de particulier ? Comment peut-on mettre en scène une fleur magnifique sans que celle-ci paraisse ostentatoire ? Comment un bouquet qui a du volume s'adresse-t-il au-delà de l'effet immédiat, à d'autres sens ?

Il va de soi que des fleurs simples peuvent s'effacer, qu'une fleur magnifique peut être pompeuse, que des éléments abondants peuvent avoir un effet purement optique. Mais uniquement dans le cas où l'on suppose que toutes les plantes et fleurs possèdent un degré de valeur qui leur est attribué et que le bouquet est un ouvrage destiné à une certaine fin. Mais lorsqu'on pense que le bouquet est plus qu'un ensemble de parties végétales avec, en plus, une technique bien appliquée, il est nécessaire de réfléchir un instant à tout ce qui est petit, particulier, simple et grand.

Chaque fleur peut être amenée, au-delà des premières impressions qu'elle produit, à manifester une force de séduction intense. Puisqu'elle la possède en tant que substance immatérielle, essentielle, à l'état latent ; on doit seulement la rendre visible et palpable.

Toutes sortes de petites fleurs et de feuilles. Elles se présentent dans une cohue dense et joyeuse qui donne une impression ordonnée et jolie. Sans être exigeantes individuellement, elles brillent ensemble et ne sont aucunement effacées.

Lorsqu'on met en relation différentes fleurs et diverses espèces, les possibilités deviennent plus grandes et plus riches. Chaque espèce végétale possède un potentiel qui permet de créer des ambiances ; tout dépend alors de la sensibilité, de la capacité créatrice développées pour percevoir les émotions qui émanent des fleurs, pour s'en saisir et travailler avec.

Le contenu des concepts

Le fait de trouver un ordre et une classification des fleurs n'est pas au centre de nos préoccupations, même si l'exigence de l'établir peut correspondre à une tendance personnelle. Des concepts comme *petit, grand, simple, particulier* et d'autres peuvent être appliqués à des bouquets dans un sens assez large et multiple. Ainsi *petit* peut aussi vouloir dire *gracieux, délicat, faible, menu, mince, minuscule, peu* ou *insignifiant*. Chacun peut, selon sa propre représentation du contenu de ce concept, trouver de nouvelles intentions en regardant les fleurs.

D'autres concepts peuvent aussi avoir des significations très diverses. Ainsi le concept *simple* peut représenter d'autres comme : *modeste, sans art, insignifiant, réduit, pauvre, facile à comprendre, clair*. Le concept *grand* peut représenter : *grandiose, puissant, lourd, massif, écrasant, impressionnant, abondant. Particulier* peut signifier : *individuel, extraordinaire, excellent, précieux, exclusif, rare.*

En faveur de la perception de quelques schémas

Que veut dire *petit bouquet ? Gracieux* ou *tendre ? Faible* ou *mince ? Insignifiant* ou tout simplement pas *grand ?* Il y a des fleurs modestes, insignifiantes qui sont minces, des fleurs faibles qui sont minuscules, des fleurs gracieuses qui sont petites. En les regardant et d'autant plus en les choisissant, on détermine d'emblée le regard qu'on porte sur elles. Cette détermination sommaire empêche facilement une connaissance de la marge de manœuvre que la fleur, de par sa nature, offre volontiers. La fleur insignifiante, par exemple, n'est pas seulement mince, mais aussi grotesque ou fine ou ornementale, de sorte qu'il ne faut pas seulement la regarder comme étant petite et menue. A côté des traits les plus caractéristiques des plantes, il faut créer des façons de voir particulières pour contrer les tendances visant à regarder les fleurs exclusivement à partir de quelques points de vue schématisés. Des analyses, dans ce domaine, sont un élément important et la base pour une autre façon de voir et de travailler, qui dépasse l'action imitatrice.

En fin de compte, la valeur d'un arrangement ne dépend ni du format ni d'une sélection particulière des fleurs. Il s'agit plutôt de voir, dans quelle mesure, il est possible de percevoir la particularité et la force de rayonnement existantes des plantes ; ensuite il s'agit de la traduire dans la pratique d'une façon adéquate. Comme des ambiances peuvent être ressenties de différentes façon, il en résulte tout naturellement un grand potentiel de forces d'expression qu'on n'aurait pas soupçonné chez la plupart des fleurs.

Une paysanne qui vend ses produits au marché, propose, entre autres, de petits bouquets de fleurs qu'elle compose, en ce qui concerne le choix et la forme, d'après ses propres préférences spontanées. On ne peut pas nier sa naiveté, et d'une manière tout à fait naturelle, elle crée un lien merveilleux avec les plantes. Son ingénuité créatrice ne peut être atteinte que difficilement d'une manière consciente, sûrement pas par la simple imitation de la forme, mais seulement grâce à la faculté de se servir de sa propre réaction sensible.

La représentation personnelle et la compréhension de l'expression véritable

La disposition et la combinaison individualisées des fleurs doit être fondée sur une ébauche, sur une attitude consciente. Des points de vues fondamentaux, des images complexes qui sont composées d'un grand nombre de détails et qui sont ainsi constamment élargies et modifiées, peuvent provoquer une façon de voir et de ressentir plus profonde. Car il ne suffit pas de produire des effets et de s'arrêter à des choses purement formelles.

Un bouquet généreux et sauvage peut, lorsque les conditions artisanales sont réunies et qu'un nombre assez important de plantes est disponible, aussi être noué de façon à paraître indompté. Mais il ne peut réellement devenir sauvage et proche de la nature que lorsqu'on sait ce que c'est que la nature sauvage, lorsqu'on s'est confronté à ce phénomène.

Une fleur est précieuse quand elle est onéreuse. Ce simple fait est relatif, en particulier si on pense à l'évolution des modes florales. Le concept « précieux » n'est donc pas à comprendre superficiellement comme étant lié à un coût chiffrable, mais chacun ressent par sa propre représentation et son appréciation des valeurs, telle ou telle fleur

Un bouquet de jardin. Autant les jardins sont différents, autant les ambiances crées sont variées : Astrantias, Peltoboykinias, *des géraniums,* Eustomas, Anthriscus, *des roses etc...*

Nouer un bouquet. « La main droite tend le bouquet à la main gauche – qui serre les tiges avec le pouce au point focal, de sorte qu'elles s'écartent... » (Rothe, 1935). L'assemblage conscient en S ne s'est développé que bien des années plus tard.

Un bouquet décoratif groupé. Une répartition en groupes : les fleurs sont utilisées d'après leurs traits de caractère, leur port n'est qu'en partie naturel. La partie inférieure du bouquet rassemble tous les éléments d'une façon décorative.

comme précieuse. Un bouquet de violettes peut être aussi précieux qu'une orchidée ou des fleurs d'été. Ce qui est précieux et particulier doit donc être mis en rapport avec ce qui est exceptionnel, surprenant et frappant. Cela peut se produire par la propre nature de la fleur aussi bien que par le comportement et l'action qu'on entreprend vis-à-vis d'elle – ce qui n'est évidemment pas la même chose. L'idée qu'on se fait joue un rôle significatif ; si on ressent les traits particuliers d'une façon banale, habituelle, on retrouve cela dans la composition. Et de même, si des représentations prennent une forme très complexe.

On peut éprouver de l'étonnement devant une fleur « particulière » et la laisser dans son expression naturelle, mais on peut aussi se laisser stimuler par l'éclat individuel de la plante qui est pris en compte ; sans pour autant lui subordonner son propre point de vue, on crée ainsi une tension en rapport avec son attrait.

Le bouquet – un ouvrage fondamental de l'art floral

Contrairement à ce qui s'est passé, il y a 50 ou 60 ans, le bouquet n'est plus, depuis lontemps, une chose accessoire dans la vie quotidienne du commerce des fleurs ; il s'est transformé en un ouvrage important et fondamental. Malgré sa signification en tant que composante essentielle de l'art floral, il ne rencontre pas toujours l'attention nécessaire pour qu'il devienne plus qu'un support et un représentant des coutumes conventionnelles et obligatoires. Le cas n'est pas rare où il se présente de cette façon, formel et traditionnel, bien qu'on comprenne aisément qu'un bouquet soit plus qu'un ensemble de fleurs. Dans sa grande variété, il est bien plus qu'un phénomène de mode qui est vite oublié.

En regardant de plus près, on peut situer le fait de nouer un bouquet assez près de la pratique ancestrale de rassembler, botteler et ranger. Mais la synthèse entre les plantes naturelles et une activité primordiale (chercher et cueillir) n'est pas déterminante, ni pour la forme, ni pour le contenu. Et pourtant, le fait d'être conscient de ce genre de liens peut aider à faire ressortir le caractère et la personnalité chez un grand nombre de bouquets. Mais l'important reste la faculté de développer un style artistique particulier. Cette faculté très précise de manifester une force expressive peut aussi trouver sa forme dans un travail aussi simple que celui de faire un bouquet. C'est à partir de sentiments, de connaissances, de capacités et de réactions de toute sorte que naît un potentiel formateur qui s'exprime dans l'ouvrage et qui est aussi ressenti par le spectateur. Mais avant qu'on se tourne vers ces possibilités,il faut satisfaire des exigences fondamentales sur le plan artisanal et esthétique.

Les relations et les interdépendances harmonieuses

Les conditions que doit satisfaire un bouquet sont de nature très diverse. Voici quelques exemples :

• Un façonnage conforme au matériel utilisé
• Une technique correcte et exacte
• Une durée de conservation à peu près égale pour tous les matériaux
• Une conformité aux critères de composition exigés
• Une harmonie des couleurs

A ces conditions peuvent s'ajouter des

Un bouquet végétatif libre. Un rythme de croissance et de mouvement. Avec les nouvelles formes d'ouvrages, se développa la création d'autres types de bouquets : des bouquets groupés, où une plus grande répartition, des espaces libres et le mouvement jouent un rôle important autant que le respect de la forme née de la croissance.

Le bouquet strictement formel et linéaire. Le principe de composition linéaire peut mettre en évidence le graphisme des différentes parties de la plante qui respecte plus ou moins leur croissance et qui, dans des cas précis, peuvent être confrontées à des matériaux qui produisent un effet de volume.

Un bouquet naturellement graphique, divisé en trois parties. Des parties identifiables et une construction asymétrique sont ici déterminants. Le caractère des fleurs et feuilles est léger, vibrant, gracieux et linéaire. La base, dans ce type de bouquet, est petite et gracile.

Un bouquet parallèle. Dans les années 1970 s'est développé cette forme de bouquet en prenant comme point de départ des bottes de fleurs courtes en choisissant la construction parallèle. Les tiges ne sont pas écartées, mais elles doivent rester parallèles tout en assurant l'aspect essentiel et l'aspect stable du bouquet. Celle-ci doit être présente, tant sur le plan visuel que réel – ce qui est important dans la pratique.

Un bouquet destiné à tenir debout. On peut créer des formes de bouquets, non seulement à partir de la construction parallèle, mais aussi à partir de la forme en S qui intègre la tige comme composante du bouquet.

Une forme ancienne – interprétée d'une nouvelle façon. En même temps que les types de bouquets jusque-là inconnus, le bouquet rond a été redécouvert pendant les années 1970, ce qui a donné lieu à la création d'une multitude de formes et de composition de couleurs.

Des matériaux et des textures. Des textures opposées ou apparentées prises dans différentes parties de la plante sont regroupées d'après un thème qui harmonise le caractère massif des formes et des mouvements allant vers l'extérieur.

exigences plus étendues :

- Une prise en compte de traits caractéristiques particuliers des plantes et des fleurs, l'interprétation personnelle de ceux-ci et
- un travail conscient de leur attrait, et leurs multiples facettes créatrices d'ambiances.

Ces facteurs exigent une connaissance préalable des effets esthétiques que produisent les plantes et les fleurs. Cela peut s'apprendre, jusqu'à un certain degré. Si on va plus loin, il y a, bien entendu, l'intuition personnelle qui se situe au-delà des régles et normes et qui constitue, en fin de compte, la substance de l'activité créatrice.

La grande variété des bouquets est due aux changements des points de vue extérieurs et intérieurs sur les fleurs, les plantes, la décoration et la mode. La capacité artisanale bien développée et le plaisir de l'expérience contribuent en partie à cette diversité de même que les recherches sur les origines et les formes historiques. Une intention créatrice qui ne se forme qu'à paritr de la recherche d'un effet, est considérée comme bien fondée et essentielle. Elle peut apparaître rapidement, mais aussi disparaître de la même façon sans laisser des traces ; et ce n'est que le souci de l'imitation sans réflexion qui maintient cette « nouvelle façon de faire » en vie pendant un certain temps.

Un grand nombre d'harmonies fondamentales et impressionnantes existent d'emblée. Données telles quelles par la nature, elles peuvent être vues, apprises et mises en pratique. Mais il y a aussi des harmonies qu'on ne reconnaît pas facilement et qui ne constituent pas, pour l'observateur, une unité sans contradiction. De telles harmonies mettent en doute les points de vues courants sur l'ordre équilibré et le jeu des proportions ; elles contribuent à leur dissolution et à la création de nouvelles valeurs. La dissolution d'un concept d'harmonie trop figé s'impose dans le travail de composition, au même titre que la connaissance des bases de cette harmonie elle-même.

A l'origine de toutes ces réflexions se trouve une condition toute simple, mais indispensable. C'est-à-dire le savoir-faire et la sûreté dans l'art de nouer un bouquet (cela ne concerne pas seulement un modèle). Tous les édifices théoriques proposant une classification en différents ordres et en diverses variations dans la forme n'aident pas à apprendre à nouer un bouquet. Il faut prendre les fleurs dans la main. On apprend seulement en faisant, en touchant et en regardant ; c'est après cette activité que le soutien théorique est le bienvenu. Dans les domaines de la composition, l'activité pratique devrait toujours précéder la théorie ou bien la théorie devrait l'accompagner étroitement liée à celle-ci. C'est après qu'on ait vu et ressenti quelque chose, qu'on peut y réfléchir, établir un classement et en tirer les conclusions. On ne prête souvent pas attention à cela et c'est ainsi qu'on rencontre tant de travaux « justes », exécutés uniquement d'après des conditions théoriques et qui remplissent toutes les exigences, sauf une ; celle d'être vivants et attirants.

Pour arriver à ce caractère vivant, il faut suivre ses propres représentations, essayer beaucoup de choses et mettre en pratique son inspiration. Il est évident que ce processus ne peut pas avoir lieu devant des clients. Là, il faudrait travailler avec sûreté. A la façon dont le ou la fleuriste sort les fleurs, les feuilles et tout le reste des vases et des autres récipients, on devrait déjà pouvoir ressentir son sens des interdépendances entre les fleurs. Sa façon de les tenir et de les nouer devrait produire sur le client un effet de légèreté et de grâce et le convaincre ainsi du fait qu'il ne s'agit ici pas seulement de nouer un bouquet, mais qu'il existe derrière cette activité la faculté de faire ressortir l'expression des plantes d'une façon efficace.

Un bouquet structuré (de haut en bas). Construction sous forme d'échafaudage, rupture et dissolution, voilà les traits caractéristiques du bouquet structuré qui interprète la croissance libre, telle quelle existe naturellement. La tendance de son mouvement va de l'extérieur vers l'intérieur.

Un développement de la forme du bouquet rond. La ligne des contours qui a la forme d'une voûte, d'un demi-cercle ou d'une coupole plus ou moins prononcée, devient plus plate et plus douce. La transition vers le haut du bouquet qui se présente sous un aspect dynamique, mène à des formes retombantes.

Le bouquet retombant. Pour des bouquets au caractère retombant, il est nécessaire d'employer des matériaux qui ont dans leurs mouvements de telles tendances.
Les proportions se déplacent, et il se crée différents rapports entre une hauteur relativement petite et une longueur bien prononcée.

Des bouquets en hauteur. Ces bouquets élargissent la gamme de l'évolution des formes. Des végétaux mis en relief graphiquement ou ceux qui ont tendance à pousser vers la périphérie, apportent de nouveaux aspects qui vont de pair avec un changement au niveau de ce qu'on considère comme naturel.

Les traits caractéristiques de la composition

Faut-il arranger les plantes et les fleurs, qui représentent d'elles-mêmes la beauté et la perfection, selon un système de composition ? C'est une question à laquelle on ne peut pas répondre sans ambiguïté. Il va de soi que la plante isolée, ainsi que la végétation en entier, obéissent à certains principes dont on peut penser qu'ils font partie d'un offre naturel. Dans le but trouver une orientation et pour se créer des bases solides, il est donc utile de se servir de ces fondements naturels. Cela peut se faire d'après les capacités individuelles et, en même temps, on peut tenir compte de connaissances fondamentales.

L'ordre et l'harmonie

La nature possède ses propres lois et elle a aussi son propre chaos. Elle n'a pas besoin de nos principes régulateurs, car c'est, en fin de compte, nous qui les établissons en elle. Ce que nous considérons comme état naturel chaotique, n'est pas, pour la nature, un agrégat confus et sans contrôle. Nos principes régulateurs ont été établis d'après des sentiments esthétiques, que la nature a ébauchés. Même si cela reste inconscient, c'est bien grâce à des objets naturels dans le sens le plus large du terme, que se développent nos critères pour ce qui est harmonieux et pour qui est ressenti comme une forme artistique. Cela a sans doute commencé à l'époque des peintures rupestres et va jusqu'à l'architecture la plus moderne.

La symétrie et l'asymétrie

On peut observer des proportions symétriques en regardant la plupart des parties végétales : la fleur, la feuille, la graine, le bulbe etc...La symétrie correspond donc à la croissance végétale au même titre que l'asymétrie. Il s'agit dans les deux cas de principes fondamentalement naturels, bien que l'asymétrie soit plutôt un phénomène de la végétation au niveau global. C'est pour cela qu'il est trop simple de ne pas reconnaître le principe de la symétrie comme étant donné par la nature ; les deux aspects sont liés et s'interpénètrent. Et même si la cellule est un organisme asymétrique, la somme des cellules engendre, pour la plupart, des formes symétriques, qui, dans leur globalité, produisent un effet asymétrique. Il ne faut pas attacher à ces pôles un

Une image globale dynamique.
Le dynamisme du mouvement de croissance peut se manifester, sans entraves, dans ce bouquet librement composé et lié dans le sens de la verticale. Pour que le point focal se déplace vers le haut, on renonce à une base ; c'est un choix qui est déterminé par le poids réel et optique.

jugement de valeur ; l'ambivalence qui est ainsi créée peut donner des impulsions fortes.

La section d'or

La section d'or est un principe mathématique, qui existe aussi dans la nature, elle trouve son expression dans un grand nombre de processus de croissance. La Section d'or veut dire ceci : la partie plus petite est à la partie la plus grande ce que celle-ci est au tout. Souvent, on va se rapprocher de ces mesures par la simple intuition. Ils ont le rapport approximatif de 3 : 5, de 5 : 8 ou de 1 : 1, 6.

Or on peut être très étonné de constater que, pour citer une exemple, le disque du fruit du tournesol ne dévie de cette valeur mathématique que de 4/1000 de pour cent (d'après F. R. PATURI). Il n'est pas utile de procéder systématiquement selon la section d'or ; ce que compte est de développer une sensibilité capable de percevoir les lois des proportions ; on se rend alors compte que des principes qui fonctionnent par eux-mêmes ne sont pas nécessairement construits.

De tels principes doivent être en relation concrète avec la composition, et on ne doit pas les accepter automatiquement en tant qu'exercices à apprendre. Pour en rester à l'exemple du tournesol : la disposition des graines se fait précisément d'après la section d'or, ce qui n'est pourtant pas le cas pour les proportions de la plante entière.

Même si la majeure partie des hommes choisit, par intuition, les proportions de la section d'or ou des proportions qui s'en approchent, cela ne veut pas dire que nous sommes obligés d'établir un schéma rigide auquel il faut se tenir. Par conséquent, il ne faut seulement observer les proportions, mais aussi les sensations de lourdeur et de légèreté que provoque le caractère spécifique des plantes.

Un matériau et une forme. La légèreté et le dynamisme des fleurs transforment cette forme, plutôt homogène, en un bouquet aéré et gracieux qui aboutit, avec ses longueurs capricieuses, à des proportions harmonieuses.

La théorie et l'expérience

Il est nécessaire, pour créer une base de travail, de tenir compte d'informations théoriques, de règles établies par des principes régulateurs et d'harmonies tirées de la nature. Ainsi la construction intérieure et extérieure de la plante aide à concrétiser des proportions harmonieuses, et, de la même façon, la somme des végétaux permet d'éclairer davantage les principes de composition. Bien entendu, ces principes aident aussi

à remettre en question des systèmes trop figés et à les ouvrir sur d'autres possibilités.

Là, il s'agit comme toujours, de se défaire de ses habitudes, dans les domaines de la perception, des ébauches et des idées : il faut pouvoir regarder sans parti pris. Cela inclut aussi le regard de l'amateur, parce que sa façon de voir, si elle est pénétrée d'ambitions artistiques, peut conduire à interpréter différemment beaucoup de perceptions.

Les fleurs issues d'une communauté végétale à croissance naturelle, seront tenues et liées de sorte que le bouquet présente une analogie avec leur habitat. Non seulement les plantes proviennent de celui-ci, mais aussi on les laisse, exprimés en pourcentages dans leurs apports respectifs, En les regardant certains aspects deviennent significatifs : les mouvements se développent à des niveaux multiples et dans des directions différentes, les figures florales possèdent des tracés qui dépassent l'espace qui les entoure. Les relations mutuelles sont éclaircies, il s'agit de ne pas prendre en compte des antipathies réciproques. Les rapports de hauteurs et de largeurs correspondent aux situations naturelles. Si l'on veut procéder à partir d'une « ébauche de la nature », il faut pouvoir ressentir et assimiler cette perspective.

Les proportions et les dispositions intérieures et extérieures

L'ébauche construite isole d'abord les différents éléments végétaux et les soumet à une classification plus ou moins analytique. De là résultent les facteurs qui entrent en ligne de compte dans un système régulateur.

Lorsqu'une croissance régulière se manifeste sous des formes diverses et variées, il est évident de se pencher sur la symétrie. Elle existe dans les contours clos – fermés ou aérés – dans les proportions harmonieuses de toutes les parties ou bien en tant que symétrie de miroir. Ces formes sont faciles à identifier et à manier ; elles constituent les « valeurs extérieures » de la symétrie. A cela s'ajoutent les « valeurs intérieures » qui existent à côté de l'aspect purement formel : la statique, l'équilibre, la construction auto-porteuse. Pour bien saisir l'aspect intérieur d'un principe, il ne suffit jamais de s'arrêter à l'aspect formel, extérieur ; il doit y avoir des conditions intérieures préalables, des liens et par conséquent des possibilités d'associations.

En revanche, une croissance inégale tend vers le contraire, l'asymétrie. Au

De l'ordre dans les mouvements (page de gauche). Les formes créées par des panicules qui s'élancent vers le haut, ne devraient pas être interrompues ni freinées dans leur mouvement. Des formes florales plus rondes les entourent au niveau optique. Des Euphorbia, Gerbera, *des branches de mousse,* Salvia officinalis, Elaeagnus x ebbingei, Cupressus cashemeriana.

De la légèreté pour des formes sobres (à droite). Les fleurs à petit format, comme des composacées aérées ainsi que certaines ombellifères, apportent à des formes de bouquets homogènes une touche d'insouciance ; le bouquet reste, malgré tout, compact, mais ne tombe pas dans une symétrie trop rigide.

Un bouquet naturel (en haut, à gauche). Ici, la forme, le mouvement et le caractère se tiennent ; des lignes brisées, enjouées, douces et élancées apportent des aspects formels intéressants : des branches de sureau (avec les baies), des fleurs d'hortensia, Sanguisorba major, Alcea rosea *noire,* Malva sylvestris.

Une forme dominante (en haut, à droite). Le caractère dominant Amaryllis *saute aux yeux. Elle montre bien ses fleurs ainsi que son port vertical. Si ce n'était pas le cas, son effet serait considérablement réduit. Les autres fleurs et parties végétales ont comme rôle de l'accompagner et de créer un équilibre ; elles soulignent l'impression générale.*

même titre que le principe de la symétrie, celui de l'asymétrie figure dans l'organisation de la plante ; là, il se manifeste sous une forme beaucoup plus prononcée, c'est-à-dire dans des contours irréguliers, dans l'absence de symétrie de miroir et dans des rapports proportionnels inégaux. L'asymétrie est, au fond, caractérisée par un manque d'harmonie dans les proportions. D'autre part, ce concept peut désigner plus que le simple contraire de la symétrie. On peut attribuer au monde végétal la forme asymétrique, même si ce n'est que partiellement. Cela se produit souvent sur le plan optique. En outre, la forme asymétrique possède, comme la symétrie, des qualités qui ne sont pas purement extérieures, mais qui représentent aussi une essence « intérieure ».

Elle se manifeste par une tension

L'arum et le lilas. L'image de l'arum et du lilas peut être interprétée de différentes façons : noble et précieuse ou bien d'une élégance douce et tempérée, mais aussi d'une beauté et d'une simplicité insouciantes. Par conséquent, le bouquet est composé en utilisant le port des fleurs, par un simple assemblage de tiges, sans qu'on y ajoute des matériaux de remplissage et sans aucune composition à la base.

active, des forces excentriques, du mouvement et des évolutions libres. La symétrie et l'asymétrie sont toutes les deux logiques dans leurs manifestations respectives et dans leurs conditions.

Le chaos apparaît comme quelque chose qui n'est pas harmonieux, qui n'est pas utilisable au niveau de la composition. Il est embrouillé et représente le contraire de l'ordre, quasiment sa dissolution. Or le chaos a une relation directe avec le système bien ordonné, il est la condition préalable de ce dernier et apparaît comme conditionné par lui. Selon la formation qu'on a reçue en art floral, on remarque peut-être uniquement l'aspect esthétique dans ce qui est construit, clairement articulé et pensé, ou bien on remarque et on accepte aussi l'esthétique du chaos, du fragment et de l'ébauche.

Les quantités de fleurs et le caractère d'un bouquet

Des concepts comme symétrie, asymétrie, ordre construit et ordre naturel nécessitent, pour devenir concrets, un certain nombre, une quantité de fleurs, qui entrent dans un rapport esthétique grâce aux facteurs régulateurs. Une fleur isolée se présente telle quelle. Si on n'ajoute rien, si on ne crée aucun lien avec une autre plante ou un récipient, rien ne permet alors d'établir des relations ; aucun principe régulateur n'entre alors en action, et la fleur se soustrait ainsi complètement à un ordre. Or, dès que d'autres parties

La particularité dans l'expression.
A gauche : L'image que donnent les plantes, laisse de la place pour des interprétations ; mais elles ne doivent pas aller trop loin, de sorte que le caractère originel reste toujours perceptible.
A droite : la multiplicité des éléments végétaux ouvre une vaste gamme de possibilités d'expression. Elles peuvent se manifester au niveau de la forme, du mouvement, de la texture et de la couleur.

végétales ou un récipient s'y ajoutent, le rapport entre les quantités et les proportions devient visible.

Lorsqu'on noue un bouquet, on s'occupe normalement, entre autres, de la structuration de quantités végétales qui proviennent d'une seule espèce ou bien d'un mélange de beaucoup d'espèces différentes. Comment est-ce alors possible que ces quantités puissent être totalement dépourvues d'esthétique ou alors pleines de charme ?

Lorsque le travail, avec une quantité de fleurs d'une même variété, met en relief le caractère essentiel d'une espèce, des images féeriques inoubliables peuvent apparaître, même si la variété en question, ne se prête pas à un emploi exhaustif. Mais son habitat naturel est peut être dense – sans qu'on le sache – et l'effet d'un tel bouquet peut être frappant. Or si l'on néglige cet aspect important, si l'on ne s'occupe pas du caractères spécifique d'une fleur – ce qui est d'ailleurs possible d'une façon très individuelle –, on se retrouve devant une masse de fleurs qui apporte une déception sur le plan des attentes esthétiques.

Dans le cas de fleurs provenant de variétés différentes, il s'ajoute, au caractère respectif de chaque espèce, les relations mutuelles entre les fleurs. Cela élargit considérablement la gamme des possibilités, ou alors celle-ci est détruite, si les possibilités d'expression des plantes ne sont pas respectées.

Des formes de croissance et de mouvement

L'aspect extérieur des plantes invite à des comparaisons et incite à chercher des concepts en vue d'une classification. Celle-ci ne doit pas nécessairement être définitive et elle ne doit pas non plus se contenter de classer formellement chaque fleur ou plante, dans le but de la sélectionner et de l'utiliser selon la gamme établie. Cette classification doit plutôt aider à se rendre compte de l'effet que peuvent produire certaines formes de croissance. Elle permet aussi dans leurs apports respectifs, de réagir face à des particularités spécifiques. Une forme peut être et interprétée d'une face complètement neutre ou bien subjective. Pourtant, beaucoup de fleurs ont des traits caractéristiques si prononcés que même des points de vue fortement individuels ne peuvent pas s'y soustraire.

Un bouquet de lys. D'une façon tout à fait naturelle, les fleurs de lys sont expressives. Selon leur port individuel, on les trouve isolées, à plusieurs ou bien discrètement rassemblées.

La forme de croissance ne peut pas être vue uniquement comme une manifestation achevée, cela serait trop simple. Il s'agit plutôt de saisir le côté vivant de cette forme. Les systèmes de classification ne sont donc qu'un point de départ, la possibilité d'une interprétation. La confrontation individuelle avec les phénomènes liés à la forme, comme résultat d'un processus de croissance, peut considérablement élargir, différencier et changer un point de vue.

La forme

En général, les formes impressionnantes figurent parmi les types uniques, dominants. En les présentant seules ou en quelques exemplaires isolés, leur image extérieure ne change que très peu. Quelles fleurs appartiennent à ce groupe ? Cela ne dépend pas seulement de leur inflorescence qui peut porter quelques grandes fleurs ou bien de nombreuses petites fleurs simples, mais il s'agit ici de regarder toute la forme. Le caractère propre peut s'exprimer par des mouvements : ascendant, débordant de tous les côtés, qui se déploient, retombant, qui développent un grand format ou qui créent des impressions d'une autre manière.

Les traits essentiels de chaque personnalité doivent être respectés dans une très large mesure. Nous trouvons par exemple dans ce groupe : les divers lys, *Amaryllis*, *Strelitzia*, *Eremurus*, les molènes, *Veratrum*, *Helioconia*, *Anthurium andreanum* et d'autres.

Beaucoup de plantes sont souvent très impressionnantes quand elles sont en fleur, mais des tiges isolées et coupées sont plutôt un peu indifférentes ; elles peuvent appartenir à ce groupe, mais aussi à un autre qui est moins impressionnant. Des exemples : *Aruncus sylvestre*, *Cimicifuga*.

D'autres plantes comptent aussi parmi les formes solitaires, même si elles se distinguent d'une manière. Car elles n'ont pas besoin d'être grandes et dominantes pour figurer ici ; il y a encore d'autres critères comme une présentation précieuse ou encore une valeur spéciale due à leur rareté. Le port de ces fleurs ne se distingue pas par la dynamique des formes majestueuses, mais leur présentation noble, bizarre ou surprenante est suffisante ou même nécessaire pour qu'on leur accorde une position unique. On peut citer, comme exemple, les orchidées et les lys, *Gerbera*, les œillets et les roses nobles, *Kniphofia*, les hybrides *Iris germanica*, les fleurs de certaines plantes de gingembre et celles de la famille des portera, les fleurs de cliva, *Amaryllis belladonna* et bien d'autres.

Dans ce système suivent, après les formes végétales dominantes et nobles, celles qui sont un peu moins surprenantes et, par conséquent, moins provocantes. Mais elles doivent être en mesure d'attirer une certaine attention, si leur caractère, qui reste assez prononcé, doit produire un effet. Elles n'ont pas besoin de rester seules pour autant, mais leur image serait ternie et leur forme spécifique détruite si on en assemblait trop. Bien que leur *Gerbera* ainsi que les oeillets et les roses nobles appartiennent au groupe précédent, la plupart de leurs variétés font partie de cette deuxième catégorie, entre autres des lys plus petits, des tulipes, des narcisses, *Vallota*, *Platycodon*, *Campanula macrantha* etc. Il faut aussi classer, parmi ces formes prestigieuses, les magnifiques inflorescences en boule des pivoines et des hortensias et toutes les autres fleurs qui produisent des effets semblables, comme par exemple *Poinsettia*, le lilas et les chrysanthèmes. Ce sont là les magnifiques formes prestigieuses, mais jamais celles de la multitude.

Par ailleurs, la limite entre les différents groupes n'est pas à considérer comme rigide, les passages sont courants. Ainsi un certain type de rose, quand il est utilisé d'une certaine

Un bouquet plein d'expression. Si on s'occupe avec minutie de fleurs et plantes modestes, on peut réussir à lier des bouquets gracieux et émouvants. Jacinthe, renoncule, pensée, Gleichenia, *lierre etc.*

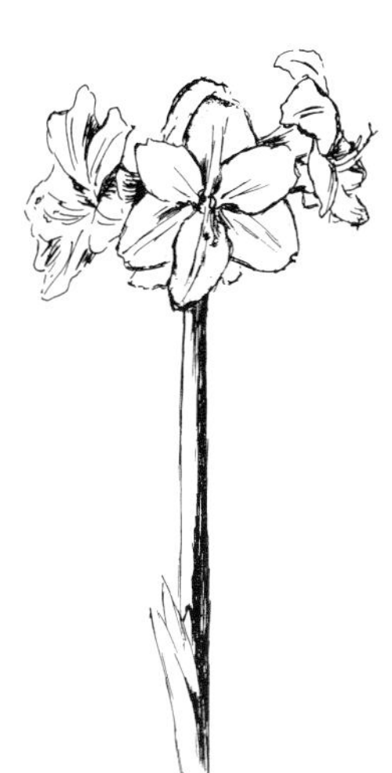

Des formes dominantes. Des formes éloquentes du type dominant, celles qu'on ressent comme nobles et celles qui portent des traits caractéristiques frappants, ont besoin d'une position dominante, si l'on veut préserver leur particularité. L'image qu'elles présentent détermine le type de bouquet et le choix des autres matériaux.

Des formes prestigieuses. Les plantes qui présentent une image moins exigeante, n'ont pas besoin d'une position aussi appuyée que les formes de domination. Mais le caractère spécifique de leurs présentations respectives exige néanmoins qu'on tienne compte de leur représentation ; une trop forte densité, une coupe trop courte ainsi que d'autres entraves sont à éviter.

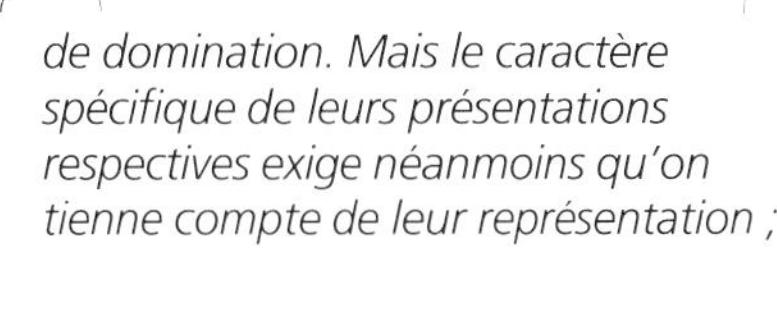

Des formes communautaires. Toute une série de plantes ayant des traits caractéristiques beaucoup moins frappants, forment le troisième groupe de cette classification (d'après M. Evers). Ces plantes produisent un effet dans des quantités plus ou moins grandes plutôt que prises isolément. Lorsqu'on les assemble par affinité ou bien en remplissant de multiples fonctions avec d'autres végétaux, elles gagnent en charme.

Des mouvements naturels. Les mouvements de croissance les plus divers, nous renseignent, sur la façon dont on doit les employer. Il y en a qui vont de bas en haut en faisant ressortir la verticale ou le déploiement (1, 3, 13) ; qui forment des panicules ou des ombelles, denses, aérées ou suspendues et s'élançant d'une façon filiforme (2, 4, 8, 9). Il y en a qui sont munis de carapaces de tous les côtés qui repoussent (5), ou des mouvements au repos, un peu passifs (7). Le feuillage provenant d'herbes et de certains monocotylédons apporte un dynamisme et un graphisme intéressants (6). Des mouvements bizarres et interrompus sont toujours particulièrement remarquables ; ils devraient déployer leur graphisme d'une façon dominante (11) ; dans des bouquets particuliers, de tels éléments végétaux assument des fonctions importantes, par exemple quand ils retombent doucement ou grimpent dans un rythme enjoué (10, 12, 14).

manière, trouve sa place parmi les formes prestigieuses et nobles, mais la rose peut aussi appartenir au groupe suivant lorsqu'on choisit des variétés et des quantités correspondantes. Ce groupe est celui des formes collectives ; il réunit des plantes, qui sont les plus efficaces si elles sont rassemblées en grande quantité, denses ou aérées. L'on compte parmi elles beaucoup de plantes à bulbes, qui poussent au printemps, des fleurs de massifs et de balcons, ainsi que des fleurs d'été.

Cette classification ne doit pas être un schéma rigide, mais un outil de travail utile. En procédant ainsi nous considérons la plante ou la fleur comme quelque chose d'absolu. Il est nécessaire de regarder en plus, chaque forme dans son contexte de croissance naturelle, afin d'obtenir un point de vue suffisamment concret. Cela nous permet aussi de relativiser des données trop théoriques.

Le mouvement

La forme et le mouvement vont de pair. Comme les formes, les mouvements sont très variés et peuvent être classés selon des critères. Il est fondamental de savoir si un mouvement végétal est vu comme quelque chose qui se développe et qui se poursuit selon une progression ou s'il est perçu comme étant plutôt statique qui se manifeste par la croissance. Indépendamment de cette distinction, on arrive à reconnaître certains gestes caractéristiques du mouvement qui entraînent un certain nombre d'exigences.

Comme signe distinctif, un port strictement vertical doit être conservé clairement. Il interdit une position latérale ou qui mène vers le bas. Ainsi le mouvement d'une fleur peut se prolonger d'une façon dynamique, au delà de sa pointe matérielle, à condition que l'élan qui se propage dans l'espace libre ne

Une forme fragile (à gauche). *Les broderies de dentelle de certaines plantes sont inimitables, dans des lignes fines, à peine perceptibles ou riches en contours ; elles présentent des intersections, des densifications et des dissolutions vibrantes.*
Pour maintenir un rythme global varié, il convient de rajouter quelques éléments plus calmes et statiques.

Des traits communs (page de droite). *La bruyère et des plantes portant des fruits et des baies peuvent donner une impression hivernale ou de fin d'automne. L'ambiance ainsi créée donne lieu à une interprétation individuelle ; un regard plus botanique pensera à une influence méditerranéenne.* Erica arborea, *les hybrides d'*Erica, Viburnum tinus, Cotinus *etc.*

soit pas interrompu. Un port droit va souvent de pair avec une certaine longueur de la tige, qui ne doit pas être réduite trop fortement, si l'on ne veut pas diminuer l'effet global recherché. Si, par exemple, un *Eremurus* est coupé assez court, cela rend le bouquet lourd et gauche à cause du frein qui est imposé à sa tendance dynamique. Cela vaut également pour bien d'autres fleurs – même plus petites – comme *Liatris*, le pied d'alouette et l'aconit. Pour vraiment saisir le côté impressionnant d'un mouvement ascendant, il faut faire des observations dans la nature, ce qui permet de voir jusqu'à quel point, on peut s'éloigner de la « norme » en orientant autrement un port ascendant vertical.

Dans le cas d'un port qui occupe l'espace de tous les côtés, les fleurs sont, dans la plupart des cas, groupées tout autour, rappelant les formes d'un candélabre, d'une cloche ou d'une étoile. Ces fleurs ont besoin d'espace autour d'elles et cela selon leur caractère, leur taille et leur exigence. Comme dans les formes strictement verticales, leurs mouvements se prolongent sur le plan optique dans l'espace environnant ; on ne peut pas les restreindre sans que le tout perde en qualité. Ces traits caractéristiques se trouvent chez les lys, certaines ombellifères, *Allium albopilosum*, de grands artichauts à plusieurs fleurs etc.

Les mouvements giratoires expriment de la grâce et de légèreté qu'il faut conserver. L'élan ne devrait pas être interrompu, mais il devrait pouvoir poursuivre son tracé jusqu'au bout. Il est aussi nécessaire de conserver le début de l'élan giratoire en ne raccourcissant pas la tige plus qu'il ne le faut. Dans le groupe qui est concerné par cela, nous trouvons les ixas, les cœurs de Marie (dicentia), beaucoup de graminées, quelques tulipes, les œillets et d'autres parties végétales dont le port est gracieux, souple et élancé.

Lorsqu'un mouvement dévie, à plusieurs reprises, dans d'autres directions, on parle de mouvements interrompus qui produisent des effets très intéressants. Ce sont, avant tout, les arbustes qui montrent de tels rythmes, comme par exemple, les saules ou noisetiers tortueux, *Corokia* et les robiniers. Des mouvements qui s'écoulent vers le bas ou retombant peuvent être lourds et mélancoliques, mais aussi gais et

enjoués. Qu'on essaie pas de nouer des éléments qui pendent naturellement, autour de parties végétales droites, qu'on se garde de vouloir les intégrer dans un bouquet vertical. Cela a l'air forcé, d'autant plus qu'en faisant cela, on présente souvent les fleurs isolées de dos. Pour obtenir cet effet, il vaut mieux choisir des vrilles ou des plantes grimpantes qui soutiennent ce mouvement de par leur caractère spécifique. Des plantes qui sont nettement retombantes comme *Ceropegia*, *Gesneria*, *Tillandsia* doivent être utilisées autrement que le lierre ou *Ficus pumila*. Ces dernières peuvent aussi pendre ; en revanche, un *Tillandsia* noué autour d'une tige, d'une branche etc., a l'air étrange.

Comme pour les différents ports des formes végétales, il s'agit de trouver pour les mouvements une position personnelle, raisonnée et tenant compte de l'ensemble.

L'origine et la constitution

En tenant compte d'une forme végétale et de son mouvement naturel, on arrive à apporter une orientation déterminante et une aide pour les compositions. La forme et le mouvement ne résultent pas seulement du processus de croissance qui est biologiquement per-

De gauche à droite : Un bouquet de narcissus tazetta. On ne peut pas accorder une représentation particulière à ces narcisses d'un parfum inimitable. Ayant un caractère qui rappelle des prairies de montagnes méridionales, ils parlent d'eux-mêmes et sont d'une beauté noble, exprimée par un bouquet simple.

Un bouquet de graminées. Cette dénomination générale n'est pas adaptée à la particularité des herbes. Elles expriment de façon tout à fait individuelle des traits de caractère exigeants et fiers ou bien elles constituent uniquement un accompagnement ou un enchevêtrement de lignes modestes.

Un bouquet de tulipes. *Les tulipes s'adaptent à tout, selon leur type et leur variété, elles ont un caractère collectif ou noble. Parfois, elles sont dotées de longues tiges élastiques qui donnent un élan à des bouquets un peu lourds.*

Un bouquet de pois de senteur. *Le caractère tendre des fleurs des pois de senteur provoque toujours de l'étonnement, en particulier, lorsqu'on se les imagine au bout de leurs tiges robustes et même souvent rugueuses. On pourrait les présenter ainsi mais aussi seules ou avec d'autres fleurs odorantes.*

ceptible. Celui-ci dépend aussi des conditions qui règnent dans son environnement et constitue une réponse visible quant aux restrictions, aux possibilités et aux opportunités que présente ce contexte.

Après les tout premiers débuts de l'art floral, il y eut, un peu après le tournant du siècle, « l'exigence du paysage ». On a essayé de soutenir que, seules, des plantes qui proviennent d'une zone de végétation précise peuvent être assemblées harmonieusement dans une composition. Ce point de vue est juste et difficile à réfuter. Mais qui est donc en mesure de nouer de tels bouquet, provenant d'un paysage de montagnes, de prairies sèches, de forêts de plaine, de régions marécageuses ou de landes ? Qu'en est-il du bouquet composé de gentiane, de primevère farineuse et de pin nain rampant ou bien de celui composé du sceau de Salomon, de muguet et de jeune hêtres ? Et que dire de celui composé de chardons dorés et de *Calluna* (bruyère) ; de nénuphars et de flûteaux ou bien de lys martagnon, d'ancolie et du rare diptamus ? Que ces plantes restent protégées !

De telles fleurs, et bien d'autres, sont aussi cultivées et disponibles en saison sur les grands marchés. Mais il est rare qu'un horticulteur propose les plantes les plus importantes d'une zone de végétation parmi les fleurs coupées principales ; nous trouvons la même situation en art floral. Et c'est pour cela que la « loi du paysage », ne peut être qu'un petit aspect particulier auquel on peut satisfaire au moment où de telles fleurs peuvent être choisies.

Mais quelque chose d'autre est beaucoup plus plausible, c'est la représentation de ce que pourrait être l'origine et de ce qu'elle est donc vraisemblablement. En disant cela, nous ne pensons pas seulement à des représentants de nos paysages, mais à toutes les fleurs et plantes qu'on utilise, des fleurs tradi-

L'arum. Ces belles fleurs individualistes peuvent être assemblées sans que leur présentation en souffre. Même en formant le bouquet le plus simple (qui est plutôt une gerbe), elles sont représentatives. Elles n'ont rien à exiger et se font remarquer tout naturellement.

tionnelles et nouvelles, des fleurs cultivées et la « piétaille ».

Des connaissances dans ce domaine apportent de nouveaux aspects – non seulement pour les bouquets – et elles nous éloignent de schémas rigides. Comment les gerberas, les chrysanthèmes et les roses poussent-ils vraiment ? Et non seulement la variété de la région, mais aussi les espèces du monde entier qui ont été utilisées pour les cultures d'hybrides ? Des interdépendances réelles, des conditions et l'harmonie des plantes entre elles sont ainsi évaluées et transformées pour trouver leur place dans la composition.

Il ne fait pas partie des tâches de l'art floral de s'occuper d'aspects analytiques, sociologiques et systématiques des végétaux qui sont utilisés. Ils suffit d'avoir des connaissances de base solides en botanique. L'observation de la nature ne se fixe pas comme objectif de faire des recherches sur le terrain en ce qui concerne la sociologie des plantes. Elle sert plutôt à reconnaître et à comprendre des processus, des formes et des correspondances qui donnent l'idée que toutes les lois sous-jacentes engendrent des ébauches esthétiques.

La constitution d'une plante est déterminée par son origine et son environnement, et il peut être important, pour un grand nombre de compositions, dans quelle mesure, on tient compte de ces circonstances. Doit-on employer une plante telle quelle pousse réellement ou bien telle qu'on voudrait la voir ? Dans le cas de travaux qui s'inspirent de données naturelles, il est assez clair que l'intention créatrice rencontre ce qui existe dans la réalité.

Pour toutes les autres compositions, il est nécessaire de réfléchir à chaque fois au rôle que doit jouer la nature originelle. Cela mène à une confrontation stimulante qui, de différents points de vue, peut se développer constamment.

Un paysage bonsaï par exemple, composé de hêtres, est une performance admirable de l'horticulture. Mais cette pièce à croissance réglementée ne peut jamais provoquer le sentiment des arbres ordinaires d'une forêt de hêtres. Les fleurs d'*Haemanthus*, avec leur couleur splendide et leur belle forme, sont toujours les bienvenues pour des compositions ornementales ou plus naturelles. Leurs fleurs étonnantes

Des pois de senteur. Ces danseuses de jardin ont de la substance ; elles sont à la fois tendres et fragiles et extrêmement robustes. Vers la fin de l'été, elles sont vraiment vigoureuses dans leur croissance ; elles grimpent alors en faisant glisser leurs fleurs sur tout ce qu'elles rencontrent sur leur chemin. On devrait, peut-être, les nouer dans une quantité gracieuse.

qui ressemblent à des aiguilles, donnent aux bouquets généreux des points marquants et aux bouquets simples la domination souhaitée. Mais dans aucune de ces deux approches, ces fleurs n'expriment le charme originel, tout à fait étrange, lorsqu'elles brillent sur des sols secs, entre des broussailles peu denses, comme un miracle floral.

Calla, les fleurs de l'Art Nouveau, les fleurs mortuaires et actuellement à la mode, sont devenues des personnalités neutres, presque sans substance. Mais elles ont aussi un état naturel qui leur est propre : dans des fossés marécageux du sud, des fleurs blanches ou d'un jaune rayonnant, émergent par-ci par-là d'une masse de feuilles vert clair jusqu'à jaunâtre ; ou bien on peut les voir, coincées dans de grands pots ou seaux, en pleine chaleur, étonnamment vivantes et laissant pendre leurs feuilles flasques par-dessus le bord. Elles fleurissent sans se préoccuper d'élégance, résistantes, dans des cours intérieures poussiéreuses, des perrons de demeures seigneuriales et des entrées de cour sales.

On peut se faire les images d'un grand nombre de plantes qui nous montrent ce qu'elles sont à l'état naturel, ce qu'elles sont devenues grâce aux cultures et quelle est leur position acquise par le travail en général qu'on a fait avec elles. Plus la gamme des possibilités respectives est multiple et large, plus le travail de composition pour lequel on les utilise peut être varié et stimulant.

Le caractère et l'influence (l'attrait)

La connaissance nécessaire, des principes de composition et des classifications, ne remplace pas la capacité de ressentir les qualités d'une plante qui ne sont pas immédiatement perceptibles. Cet ensemble qui détermine la personnalité d'une plante, c'est-à-dire son caractère, résulte de sa forme et du mouvement que produit son port. Mais il est aussi caractérisé par la qualité de la surface de la feuille, de la tige et de la

Une possibilité de choix. La forme dominante possède un éclat élégant qui exprime une retenue un peu froide. Un autre aspect : la fleur accentue un récipient précieux ; ou bien : elle se présente comme une fleur de marbre, ou encore : elle présente un port qui résulte d'une croissance artificiellement réduite.

fleur ainsi que par la couleur et le parfum. Un premier regard sur une plante fait apparaître au premier plan sa couleur ou sa forme. Ce n'est que par la suite qu'on perçoit le mouvement, la texture et le parfum, sauf s'il s'agit d'un trait caractéristique particulièrement frappant, d'un parfum intense.

Chacun de ses facteurs peut être isolé de l'ensemble et regardé pour soi. C'est une bonne démarche pour connaître la plante. En faisant cela, on s'aperçoit du degré d'intensité des différentes qualités, et on remarque, en même temps, leur complémentarité qui donne une personnalité à chaque plante. Dans ce processus, les sens de l'observateur et leur degré de développement jouent aussi un rôle. Le charisme d'une fleur n'est pas neutre, il dépend de la réceptivité de celui qui la regarde. Ce dernier n'est pas quelqu'un qui enregistre simplement les données d'une plante, mais qui, en la regardant, entre dans une sorte de correspondance avec elle. D'un côté, il voit ce qui existe, mais en même temps il évalue ses impressions et arrive ainsi à une prise de position. Les impulsions d'ordre esthétique qui émanent de la fleur entrent donc en relation avec le sens esthétique de la personne qui contemple.

Il se peut qu'on trouve à l'origine de ce processus, des critères de composition ou des développements qui n'en font pas directement partie et qui le dépassent largement.

Ce processus qui permet de percevoir des correspondances peut être influencé par des critères de composition ; mais il est évident que la sensibilité peut aussi se former grâce à d'autres activités et impulsions artistiques.

Des qualités plutôt discrètes, peu visibles, mais maniées avec la sensibilité adéquate, libèrent des forces subtiles et produisent des effets inattendus. On ne les interprètent pas selon des schémas conventionnels. Bien que ceux-ci soient nécessaires pour aboutir à une compréhension générale, on remarque pourtant que la fleur, de par sa constitution et son exigence, se soustrait à une simplification trop unilatérale.

Le caractère d'une plante n'est souvent pas tel que nous aimerions peut-être le voir. Étant ambivalent de par sa nature, il ouvre souvent plus de possibilités que celles que nous sommes prêts à admettre. Cela peut concerner

Un bouquet avec Celastrus *et* Dioscoreas *(à gauche). L'accent qui est mis exclusivement sur les mouvements tantôt rebelles, tantôt doux, fait bien ressortir le caractère essentiel de ces plantes grimpantes indomptables.*

Un bouquet d'œillets (à droite)*. Dans la masse ou comme des supports de couleurs, les oeillets perdent leur spécificité. On ne perçoit alors pas du tout leur port élégant, ni leurs fleurs de satin.*

la forme, mais aussi la qualité de la surface de la feuille et de la fleur, ce qu'on appelle la structure ou la texture. Il est utile de parler de texture, en particulier parce que les surfaces végétales sont souvent caractérisées par des adjectifs qui proviennent du textile, c'est-à-dire de velours, de soie, etc. C'est surtout au niveau des fleurs que l'on trouve une grande diversité dans les textures, par exemple chez les pois de senteur, les pavots, les pétunias, les freesia et d'autres. Lorsqu'on tient compte non seulement de la fleur, mais de la plante entière, on trouve de multiples différences, des correspondances et des contextes enrichissants qui sont beaucoup plus stimulants que le fait de combiner les textures « justes » selon « les bonnes règles ».

Ainsi le pavot et les papavéracées peuvent être rugueux et même durs et épineux ; ils s'adaptent donc bien à d'autres plantes rustiques. Dans un environnement rugueux, le côté tendre n'est pas à sa place ; et pourtant il n'y a rien de plus tendre que les fleurs de pavot et le pavot de Turquie. Le caractère des œillets, comparable à de la porcelaine, peut se développer dans de splendides bouquets pleins de mouvements et de lignes ; mais les œillets peuvent aussi peupler des rochers et des pentes sèches et avoir un caractère métallique, rugueux et dur.

Le charme et le caractère, s'ils veulent se manifester pleinement et avec toute leur richesse, ne sont jamais simples, mais c'est justement par leur complexité qu'ils gagnent en substance. Les inspirations que suscitent notamment les fleurs sont inépuisables ; l'impression globale qui s'en dégage quand on travaille avec elles, nous fait découvrir des possibilités de variations qui s'estompent ou s'intervertissent lorsque la plante entière entre en jeu.

Mais on peut aussi se dégager de cette ambivalence en choisissant comme fil conducteur des matériaux très précis, comme par exemple un magnifique bouquet avec du brocart. On commence alors par choisir des fleurs et des feuilles qui présentent une grande variété de formes et de couleurs, abondantes et baroques. Comme cette abondance volumineuse n'a pas nécessairement le caractère du brocart, on y ajoute une cotonnade appropriée ou quelque chose dans ce genre. D'un autre côté, on peut aussi aboutir à des définitions plus subtiles en cherchant et en utilisant la qualité du brocart qui se trouve chez certaines fleurs. Ce procédé est un peu plus compliqué que le premier ; il ne produit pas des effets superficiels, mais amène des résultats d'un plus haut niveau.

Certaines textures sont – plus que d'autres – liées à la couleur. Ainsi un freesia blanc peut avoir le même effet vitrifié qu'un freesia bleu ou jaune. Or, dans le cas d'une texture en brocart, la couleur joue un rôle plus important. Ainsi un bouquet composé de pétunia, de *Salpiglossis* et de différentes variétés de mauves, dans les tons blancs et roses, ne peut guère faire ressortir la qualité du brocart ; la matière de ses fleurs doit fournir des couleurs bleu foncé, brun, orange, ocre et rouge bordeaux foncé, provenant de dessins, de taches et de pois.

Une belle gerbe noble ou bien rustique peut être plus qu'un bouquet ordinaire, à condition qu'on respecte

*Un petit bouquet du début de l'été. Des fleurs modestes coupées, de la fin du printemps, présentent ici des textures diverses, mais qui ne sont pas opposées : les bleuets, les graminées et le feuillage des armoises sont plus rugueux et plus ternes que les marguerites lisses et les anémones satinées ; à cela s'ajoutent des éléments mousseux provenant d'*Asperula *et d'*Anthurium.

quelques qualités et détails particuliers. Elle peut devenir un bouquet qui parle non seulement à l' œil, mais qui saisit le sentiment. Cela n'a rien à voir avec de la sentimentalité, dans le sens négatif du terme, mais avec une faculté plus profonde qui permet de percevoir et de comprendre la beauté.

Quelques exemples de textures

Les surfaces à caractère doux

soyeux	le pavot, *Godetia*, les vesces, *Cattleya*, *Prunus*, *Cosmea*
velouté	la pensée, *Tithonia*, les variétés de célosie, le gloxinia
laineux	le feuillage *Stachys*, la molène, *Leontopodium*, *Anaphalis*, le mimosas, *Amaranthus*, *Salvia argentea*
satiné	les pivoines, variétés doubles *Alcea rosa*, *Hibiscus syriacus*, *Dimorphotheca*, les variétés de roses
plumeux	les variété de *Stipa*, *Aruncus*, *Thalictrum*, *Galium*, *Bupleurum*, *Gypsophilia*, *Alchemilla*
mousseux	*Artemisia*
velu	*Senecio*, *Santolina*

Les surfaces à caractère dur

vitrifié	le freesia, certains *Iris*, *Campanula persicifolia*, *Montbretia*, *Trollius*, *Astrantia*, *Vinca*, *Bouvardia*, les jacinthes, le dahlia, les muguets, *Lilium longiflorum*, *Helleborus*, *Calla*, le camelia, le gardénia, le tulipe
porcelainier	*Cyclamen*, le perce-neige *Anthurium andreanum*,
métallique	*Strelitzia*, *Heliconia*, *Curcuma*
	un très grand nombre de feuilles comme celles de *Sedum*, des anthuries, de *Echeveria*, de *Iris*, de *Yucca*, du lierre, de *Strobilanthes*, de *Eucalyptus*, de *Hosta sieboldii*, du laurier-cerise (*Prunus laurocerasus*)

les surfaces à caractère rugueux ou coriace

rustique	le zinnia, *Achillea*, le tournesol, *Rudbeckia*, *Echinops*, *Eryngium*
	les écorces, certaines variétés de mousses et de lychens
	le thym, le romarin, la lavande
ressemblant à du cuir	le laurier, l'olive, *Aspidistra*, *Coccoloba*, *Pittosporum*,
épineux	*Mahonia*, le fruit de
feutré	*Physalis*, *Acanthus*, *Cynara*, le prunelier, *Phlomis*.

les surfaces ternes, satinées et autres

ressemblant à du brocart	le pétunia, *Zinnia haageana*, *Salpiglossis*, *Lilium auratum*, les variétés et les espèces de bégonia à feuilles, *Coleus*, *Pilea*, *Saxifraga stolonifera*, *Heuchera americana*, les fleurs de *Calistemon*, *Schizanthus* dans certains tons
lisse	*Phormium*, le feuillage de *Paeonia*, *Galax*, *Veronica speciosa*
doux	*Nicotiana*, *Maranta*, les fleurs de *Tamarix*, *Eupatorium*, *Statice latilolia* (frais)
terne	*Verbena rugosa*, *Caryopteris*, *Lamium*, *Ageratum*, la feuille de *Alchemilla*
scintillant	*Iresine*, *Beta vulgaris* (variété), les variétés de bergenia, *Arum italicum* 'Pictum'.

Ceci n'est qu'un petit choix de textures qui peut être facilement élargi. Selon leurs traits caractéristiques spécifiques, leur origine et leur culture, beaucoup de plantes permettent des variations dans le classement ainsi que d'autres dénominations désignant de nouveaux matériaux. Un exemple : *Anthurium andreum* que nous avons classé dans la catégorie « métallique », atteint cette qualité le mieux dans les variétés brillantes, rouge verdâtre ; la même plante a un caractère satiné prononcé lorsque la couleur est rose et blanche ou bien rouge bordeaux clair.

Les fleurs symboliques

A l'origine, les symboles étaient des signes distinctifs généraux. De nos jours, nous entendons par symbole un signe ou une image dont la signification ne s'épuise pas dans son sens conven-

La centaurée. Les bleuets ont reçu leur nom d'après le centaure Chiron, le connaisseur de plantes médicinales. Vieille compagne des champs de céréales, cette plante fait partie des symboles de la fête des récoltes. Moins mystérieuse que la fleur qu'avaient cherchée les romantiques, elle peut quand même devenir la « fleur bleue ». Du centaurea cyanus 'Garçon bleu'.

Une harmonie de couleurs. *Les nuances de jaune et de rouge sont dominantes et vives. Elles peuvent facilement devenir trop fortes et c'est pour cela qu'on devrait les moduler en utilisant des couleurs plus cassées et plus ternes dans la même tonalité. On obtient ainsi des tons chauds et pourtant intensifs. C'est avant tout à la fin de l'été et en automne que cette gamme de couleurs est bien représentée et toujours bienvenue.*

tionnel, mais qui représente une idée ou quelque chose de spirituel. Il est donc évident que les fleurs soient devenues des symboles. C'est surtout grâce à leur forme et grâce au rythme, avec lequel elles apparaissent et fleurissent dans l'année, qu'elles remplissent ce rôle. La forme et le caractère d'un certain nombre de plantes correspondent au sens traduit en image par le symbole.

Il va de soi que le symbole n'a de sens qu'au moment où un groupe ou une société comprend ce qu'il signifie. Le langage floral, du XVIIIe et du XIXe siècle, travaillait avec de longues listes où figuraient des indications de ce que telle ou telle fleur devrait exprimer ; mais il faut constater que très peu de fleurs représentaient de vrais symboles. Beaucoup de ces indications étaient nées d'une vision introvertie et romantique, exprimant le souhait tout simplement de personnifier les fleurs. Lorsqu'on fait abstraction de ces associations d'idées, il ne reste plus beaucoup de symboles floraux qui se sont maintenus au-delà d'une longue période. En plus, ils ont des significations différentes dans telle ou telle civilisation.

Le contenu des symboles floraux

Pour un grand nombre de plantes, le contenu symbolique vient de la mythologie grecque, romaine et chrétienne,ce qui permet de le comprendre de nos jours ; au moins partiellement. Comparés à l'Europe, les pays de l'Asie de l'Est – la Chine, la Corée et le Japon – ont beaucoup plus de symboles tirés de la nature et des fleurs parce que pour eux, à la différence de nos pays, la nature est animée par l'esprit.

Les mois ont leurs fleurs symboliques qui désignent des qualités précises, et lors de célébrations, les plantes et les fleurs donnent une image du contenu et de la signification de la fête.

Ce symbolisme végétal a été développé très tôt : ainsi nous lisons dans « Le Dit-du Genji » (autour de 1000 après J.C.) que tout message n'était transmis et compris qu'en citant un vers d'un poème chinois et en y ajoutant une feuille, une branche ou une fleur. Dans la société japonaise moderne, il n'y a plus de place pour la symbolique végétale, mais sa compréhension ne s'est pas totalement perdue. Lorsq'au début de la courte floraison des cerisiers, des milliers de personnes admirent la splendeur des arbres en fleur, elles ne le font pas seulement par tradition ou bien parce qu'elles cherchent une raison pour faire la fête, mais elles se laissent toucher par la beauté, par le caractère passager de toute existence terrestre dont le *sakura* cerisier du Japon est le symbole par excellence.

Quant aux vieux symboles végétaux germaniques, il n'en reste plus grand-chose sauf le chêne, le tilleul, le bouleau et le gui. En relation avec la période romantique, nous trouvons le thuya et le saule pleureur, ce dernier étant en général utilisé comme décoration d'une tombe. En tout, peu de périodes ont produit des fleurs symboliques qui ne sont pas à confondre avec des plantes utiles courantes ou celles qui sont à la mode.

Ainsi une plante peut acquérir une position en tant que symbole, et qui dépasse ses propriétés formelles et caractéristiques ; dans ce cas-là, sa forme visible et palpable est d'une signification secondaire. Pour un bouquet de fleurs coupées, cela peut être très intéressant parce qu'on se concentre à ce moment-là uniquement sur les contenus. Les exigences qui existent lorsqu'il s'agit de visualiser un contenu, ne se trouvent pas dans le domaine des techniques de composition ordinaires – elles les dépassent largement. Toujours est-il qu'on peut nouer des bouquets impressionnants et vivants à partir de fleurs symboliques, sans pénétrer dans la profondeur de leur signification. Souvent, on ressent leur symbolique d'une manière très concrète, ce qui est surtout dans le cas des symboles connus.

Des plantes en tant que symboles

adonis	les petits jardins d'adonis, plantés dans des coupes, et qui poussent et se fanent rapidement, symbolisent le destin du dieu de la végétation.
acanthe	symbole antique de vie et de renouveau.
ancolie	symbole de sentiment maternel et de Marie.
asphodèle	chez Homère, c'est sur les prés d'asphodèles que se promènent les défunts.
bambou	en Chine ancienne, il symbolise un caractère noble.
chrysanthème	fleur impériale du Japon, emblème de l'Empereur.
lierre	symbole dionysiaque, représentant lumière et ombre, joie de vie et froideur de la mort.
trèfle	dès la période pré-chrétienne, le trèfle à quatre feuilles est symbole de chance.
bleuet	le bleu infini du ciel, un symbole de fidélité.
fleur de cerisier	symbole de lumière, de la pureté, du chevalier ou du héros qui meurt jeune (Japon).
lys	symbolise la pureté, la Sainte Vierge, l'innoncence, la pureté de l'âme.
lotus	plante sacrée du Bouddha, sort du marécage tout en restant, immaculé, donc c'est un symbole de pureté.

laurier	attribut d'Appollon, signe de paix et de victoire.
muguet	symbole du médecin.
pavot	garde le sommeil.
narcisse	symbole de Vénus.
œillet	symbolise les clous de la crucifixion ; en Orient, il porte bonheur ; fleurs des défunts, œillet rouge : fleur de la révolution.
pivoine	représente une rose sans épines (voir les images de Marie).
rose	symbole de l'amour, de la Passion du Christ.
rose blanche et rose rouge	veut dire : être au service de quelqu'un d'une façon pure (comme une servante) ; l'amour parfait.
rosier	plante tombale, dès la Grèce antique.
souci	plante des défunts.
violette	symbole d'humilité, à cause de la couleur violette et du parfum caché.
cyprès	symbole de la vie dans l'au-delà.

La couleur

Les couleurs font partie de tout ce qui nous entoure. Dans une très large mesure, les couleurs ont un lien avec les plantes et les fleurs qui ont même donné le nom à beaucoup de couleurs. La couleur est un phénomène naturel. Il s'exprime sur le plan physique, chimique et physiologique. L'arc-en-ciel nous montre bien que lumière et couleur vont ensemble. En utilisant un prisme, on peut décomposer un rayon de lumière dans les couleurs de l'arc-en-ciel (couleurs du spectre). Ni l'arc-en-ciel, ni les phénomènes colorés ne peuvent exister sans lumière. La lumière est elle-même « couleur », indispensable pour la perception de la couleur. Dans l' œil, les rayons de lumière réfléchis passent par la rétine et sont dirigés vers le cerveau où on les « voit ». L' œil ne peut assimiler qu'un certain nombre de rayons avec des longueurs d'ondes précises. Parmi les couleurs du spectre, la longueur d'onde du rouge est la plus longue, celle du violet la plus courte. L' œil humain ne peut ni percevoir ni transmettre les longueurs d'ondes plus courtes ou plus longues telles qu'elles existent dans la nature ; les insectes par exemple en sont capables.

Absorption et réflexion

Ce ne sont pourtant pas les longueurs d'ondes perceptibles que nous voyons sous forme de « couleur », mais ce sont les surfaces des objets qui réfléchissent ou absorbent les rayons de lumière. Ainsi une fleur jaune absorbe tous les rayons, sauf, ceux du jaune qui sont réfléchis et qui effleurent la rétine de l' œil afin de pouvoir être reconnus par le cerveau en tant que « jaune ».

Grâce aux différences qui existent dans les structures moléculaires des surfaces, celles-ci réfléchissent et absorbent différentes couleurs. Le blanc réfléchit, le noir absorbe toutes les couleurs. Mais ce n'est pas seulement la surface qui réfléchit ou qui absorbe, c'est aussi l'intensité et la qualité changeante de la lumière qui reproduit les couleurs différemment. Lorsque la lumière tombe sur un objet, elles changent selon sa qualité : lumière du jour, lumière artificielle, lumière du soir ou du matin, crépuscule etc...

Une rose blanche est vraiment blanche en pleine lumière du jour ; c'est là qu'elle réfléchit tous les rayons. La lumière intensive du soleil lui donne une couleur jaune. Exposée à une lumière trouble, dans l'ombre, sa couleur blanche devient encore plus nette et plus prononcée ; dans la lumière du soir, elle s'affirme en créant un contraste entre sa couleur et la luminosité qui diminue. Quand il fait presque nuit, et lorsque bien d'autres couleurs provenant de fleurs sont déjà éteintes, elle scintille encore discrètement en se détachant de la sombre profondeur.

L'influence de la forme globale et de la structure moléculaire

À côté des différentes qualités de lumière, le caractère d'une surface est un important « facteur » qui concerne les couleurs des fleurs et plantes. La texture végétale détermine largement l'apparition de la couleur sur la feuille et la fleur, c'est-à-dire que la qualité d'une couleur est dépendante du caractère essentiel de cette texture. Un rouge, dans des tons et dans une intensité à peu près semblables, produit des effets très divers lorsqu'on présente, par exemple, pour les comparer, les fleurs suivantes : le pavot – l'anthurium – le géranium – le gloxinia – le zinnia – la tulipe. Le même rouge agit tout différemment selon les textures qui ressemblent à du papier de soie, qui dégagent une fraîcheur en brillant, qui sont compactes, veloutées, rugueuses ou porcelainières.

Mais l'effet coloré ne résulte pas seulement de la différence des structures moléculaires et de la lumière qui baigne les objets. La forme de la fleur joue également un rôle. Même si le pétale se présente sans nuances dans les tons et dans sa texture, la somme de tous les pétales, la forme globale des fleurs, peut contribuer largement à l'effet coloré. Chez une fleur, la lumière tombe sur une surface calme, chez une autre sur des arêtes, des creux, des franges etc..., de sorte que la réflexion des rayons de lumière changent à cause des formes différentes, même si les inflorescences se situent dans la même texture.

Un exemple : une tulipe blanche et un lis martagon blanc. Chez la tulipe, la réflexion émane d'une surface relativement homogène, chez le lis martagon, par contre, elle est moins fermée, plus petite plus courbée, avec des cannelures. Les rayons sont réfléchis par un corps plus accidenté. Nous en arrivons donc à trois composantes importantes qui contribuent essentiellement à l'effet que produisent les couleurs végétales. Les voici : 1. la qualité et l'intensité de la lumière, 2. le caractère de la surface et de la texture de la feuille et de la fleur, 3. la construction et l'expression de la forme que possèdent les fleurs et les plantes.

L'ordre des couleurs

Le but de la réflexion sur la perception des phénomènes colorés consiste à assembler les fleurs et les plantes qui donnent une harmonie de couleurs. Pour cela, il est utile de se pencher sur l'ordre des couleurs de l'arc-en-ciel. Celui-ci nous donne le spectre de la lumière du jour, lequel se décompose dans les sept couleurs que nous pouvons percevoir : rouge-violet, rouge, orange, jaune, vert, bleu et violet. Souvent on part de seulement six couleurs en négligeant le rouge-violet. En regardant un arc-en-ciel, on remarque que ses couleurs voisinent et se mêlent en créant des espaces de transition. Cela donne l'impression qu'elles sont mélangées à ces endroits-là. Quand on veut peindre les couleurs de l'arc-en-ciel, on constate qu'on ne peut pas obtenir le rouge, le bleu et le jaune par des mélanges. Ce sont là les couleurs primaires. Le violet, le vert et l'orange se forment chaque fois par un mélange de deux couleurs primaires. Le violet par le rouge et le bleu, le vert par le jaune et le bleu, l'orange par le jaune et le rouge ; on obtient ainsi les couleurs complémentaires. Si on mélange maintenant une couleur primaire avec une complémentaire, on obtient une couleur tertiaire. Le mélange de vert et de jaune, par exemple, nous donne le vert-jaune, le vert tendre.

Il est tout à fait utile de mémoriser le cercle chromatique en douze parties. Il contient les couleurs primaires ainsi que leurs mélanges jusqu'aux couleurs tertiaires. Il sert à représenter des harmonies de couleurs. Par ce biais on peut vite trouver ces combinaisons équilibrées, par exemple, des harmonies entre couleurs voisines comme jaune, rouge et orange. Elles possèdent chaque fois des portions du même pigment. Les harmonies entre couleurs voisines créent dans les bouquets de fleurs une ambiance agréable, mais elles ne provoquent pas de véritables tensions. Cela permet, au moins, de ne pas se tromper, par exemple en nouant un bouquet avec les couleurs bleu, violet et rouge bordeaux. Le violet et le rouge bordeaux contiennent aussi, dans des quantités différentes, le pigment du bleu. Un autre procédé sûr est de partir d'une nuance de couleur pure en créant des variations grâce au clair-obscur. Ainsi le bleu peut aller du bleu foncé au bleu clair : c'est le bouquet bleu.

Le cercle, chromatique peut encore fournir d'autres combinaisons, comme les contrastes et les accords.

La complémentarité mutuelle

Chaque couleur possède une complémentaire, c'est-à-dire la couleur qui lui est diamétralement opposée dans le cercle chromatique. Ces couleurs ne possèdent pas les mêmes portions de pigments, elles sont donc opposées et renforcent mutuellement leur effet. Des couleurs qui sont exactement complémentaires et qu'on mélange, donnent toujours le gris. Pour affermir le sentiment de complémentarité, il est intéressant de savoir que chaque couleur du spectre trouve son complément dans les autres couleurs du spectre. L' œil humain exige, pour ainsi dire par sa physiologie, la complémentaire d'une couleur qu'il voit. Cela veut dire que l' œil, quand nous sommes en train de nouer un bouquet orange, demande pour ainsi dire une nuance bleue.

Comme il ne s'agit pas souvent, dans la pratique, d'une seule couleur avec toute sa luminosité pure, la complémentaire n'apparaît pas non plus dans une seule couleur et une seule luminosité. C'est là que les couleurs voisines qui s'y ajoutent, jouent un rôle important.

Les rapports qui existent entre les contrastes et les harmonies

Grâce à des triangles isocèles, des rectangles, des carrés et des hexagones dessinés sur le cercle chromatique, de telles harmonies peuvent être trouvées et répertoriées facilement. À partir d'un triangle on obtient : rouge, bleu et jaune et sous une forme moins intensive : bleu-violet, rouge-violet et jaune. Ensuite on retourne le triangle : violet, vert-jaune, jaune-orange. À partir d'un rectangle : vert-jaune, jaune-orange, rouge-violet, bleu-violet et beaucoup d'autres combinaisons.

Mais on ne peut pas se contenter de ces harmonies, étant donné que la plupart des parties végétales ne possèdent pas l'intensité des couleurs, telles qu'elles existent sur le cercle chromatique peint. Il existe un grand nombre de nuances de tons, de caractères et de forces agissantes qui rendent possible une multitude infinie d'harmonies, d'associations et de contrastes. Ce qui aboutit à des combinaisons de bouquets qui sont fondées sur des thèmes comme : fleurs sombres et claires, couleurs florales mates ou brillantes ou bien sûr les relations entre différentes quantités de couleurs végétales.

Pour compléter toutes ces réflexions et ces idées concernant les effets de couleurs, on ne doit pas oublier d'y intégrer le vert de la feuille, de la tige, de la branche et de l'herbe ainsi que les gammes de nuances qu'on voit souvent sur la même tige. La plupart du temps, elles sont plus expressives que le simple rapport de complémentarité.

Un exemple : imaginons-nous un bouquet avec de l'orange et du bleu comme couleurs pures auxquelles on ajoute des tiges et des feuilles jaunes ainsi que du feuillage dans les tons gris-bleus et vert.

Pour les compositions florales, il est important de voir comment les couleurs réagissent quand on les rapproche et juxtapose. Elles s'influencent mutuellement. L' œil cherche automatiquement, à partir d'une couleur donnée – ici c'est l'orange – le complément, c'est-à-dire le bleu. Lorsque le bleu qu'on a choisi n'est pas exactement complémentaire et vire vers le violet et le rouge, les tons obtenus se présentent comme s'ils étaient légèrement imprégnés par le bleu qu'on attendait et exigeait : le violet et le rouge paraissent donc bleuâtres, tandis que l'orange vire vers une nuance jaunâtre ou verdâtre. Dans le cas d'une complémentaire précise, cette influence n'existe pas : le contraste des couleurs est alors vigoureux et net. Ces contrastes intéressants qu'on qualifie de « simultanés » peuvent s'estomper ou devenir plus subtiles quand on ajoute, au bouquet orange-violet-bleu que nous avons pris comme exemple, un peu de blanc ou du feuillage gris.

Les fleurs et les plantes ont rarement les couleurs pures ; elles apparaissent, presque toujours, d'une manière ou d'une autre, en dégradé ou en clair-obscur. La couleur lumineuse d'un côté et les couleurs pâles, mates ou ternes de l'autre, élargissent le champ de la composition par la couleur. D'autant plus, qu'on remarque ici particulièrement l'effet des différentes textures. Un bouquet aux couleurs pastels avec des fleurs qui on à peu près le même degré de luminosité, reçoit en complément des plantes aux tons plus sombres et plus mats. Ainsi on noue entre des roses claires, du phlox et des cosmos, *Sedum* et un peu de feuillage sombre. En revanche, des fleurs aux couleurs mates et ternes reçoivent quelques couleurs brillantes : *Stachys*, *Senecio*, *Salvia viridis*, *Monarda* et *Hydrangea* sont éclaircies par des points lumineux provenant de rosiers polyantha, *Platycodon* etc.

Un autre point important est le rapport entre les quantités de couleurs. Lorsqu'on noue un bouquet bleu-violet en prenant comme contraste du jaune et de l'orange, ces couleurs-là peuvent apparaître dans des quantités beaucoup plus petites pour atteindre un lien harmonieux avec les autres. Cela est à mettre en relation avec la luminosité des couleurs. Parmi les couleurs du cercle, le jaune possède la plus forte, le violet la plus faible luminosité. Dans le cas contraire, lorsqu'on a affaire à un bouquet jaune-orange, il faut une quantité plus grande de bleu et de violet pour atteindre la même combinaison harmonieuse.

Même la température de la couleur joue un rôle important sur l'effet de couleur. On peint volontiers une chambre, qui donne au sud et qui est donc exposée à une forte chaleur, en vert clair ou bleu clair. C'est ce qui produit le mieux une impression de fraîcheur ; des tons jaune et orange, par contre, produiraient une sensation de chaleur. Chaque couleur a une température qui peut bien entendu augmenter ou diminuer par les quantités et les contrastes existants. Un bouquet avec des tulipes oranges, associées au *Doronicum*, au pavot des rochers et à de la giroflée jaune est brillant et chaud. Un bouquet avec de la gentiane, *Eryngium*, *Anchusa*, *Polemonium*, *Veronica* ainsi que des bleuets est frais.

Bien que la température des couleurs puisse aussi agir dans le domaine des fleurs et des plantes, elle ne possède pas l'effet dominant qu'elle a, par exemple, en architecture, pour la décoration, ou bien pour la mode. Les fleurs ne sont donc pas des surfaces et des corps colorés et inanimés, mais de ce fait vivantes, elles possèdent des valeurs qui sont prépondérantes vis-à-vis de la température. A cela s'ajoute que la chaleur, la fraîcheur ou la neutralité ne sont souvent pas perceptibles en soi, mais uniquement en comparaison avec d'autres éléments.

Dans les débuts de l'art floral professionnel, la couleur passait pour le facteur de composition le plus important. On l'a placée, en général, au-dessus des aspects essentiels et formels. Cela a changé, au cours des siècles, quoi qu'il y ait toujours eu des fluctuations. Aujourd'hui on place la couleur parmi les critères de présentation, de forme et de rayonnement lié au caractère. On accorde la priorité à la couleur, lorsqu'un thème lié à la couleur ou des indications de couleurs liées à un environnement, constituent le point de départ. Des modes générales provenant d'autres domaines exercent une grande influence sur le choix des fleurs et des plantes et les transforment ainsi en fleurs aux couleurs à la mode – ce qui n'est pas nécessairement un avantage. La plante est ainsi facilement reléguée à l'arrière-plan, en devenant un simple support de nuances de tons. On rajoute alors les tons souhaités qui ne se trouvent peut-être pas fréquemment chez telle ou telle fleur, sous forme de matériaux accessoires. Quand ceux-ci sont assez loin de la plante de par leur caractère ou leur forme, il peut y avoir une relation intéressante qui n'est pas possible, quand les objets ou matériaux ajoutés ressemblent plus ou moins fortement à la plante (c'est le cas de parties coloriées ou artificielles).

A côté de toutes ces constatations générales, à propos de la couleur, de l'harmonie et des associations, les plantes et les fleurs possèdent encore un trait caractéristique qui leur est propre. Et qui s'exprime dans la qualité qui suscite des sentiments qui sont souvent, mais pas toujours, en rapport avec la couleur. Ce côté émotionnel peut difficilement faire partie des bases, trop d'aspects personnels y jouent un rôle. De telles impulsions qui agissent sur la composition, sont fondées sur des façons de voir ou sur un vécu très personnel. La personne qui regarde n'a pas forcément besoin de les décrypter, à condition que le travail, soit d'emblée, construit sur une intention personnelle en accord avec des critères de composition. En regardant la concordance entre la substance et la forme, on sent si on est devant une composition convaincante et réussie. De cette façon, les harmonies et les contrastes des couleurs florales peuvent dépasser leur apparence commune grâce à une prise de position personnelle.

Le bouquet et son récipient

Au début de notre siècle, la mode des bouquets montés sur du fil de fer toucha à sa fin. Et, en même temps, le bouquet moderne avec ses tiges naturelles s'imposa dans les magasins et auprès des clients. C'est à ce moment-là, qu'on a constaté que la plupart de ces nouveaux bouquets étaient destinés, avant tout, à être des arrangements floraux qui s'adaptaient à leur récipient. Ceux-ci avaient la même valeur que les bouquets et souvent ils étaient même plus importants que leur contenu. Plus on progressait dans l'art des bouquets, plus

La relation entre bouquet et récipient.
A gauche : Le bouquet apparaît plus volumineux et plus dense qu'il ne l'est en réalité ; cet effet se produit grâce aux vrilles qui le parcourent et l'entourent. Sur le plan optique, il demande une stabilité suffisante qui est donnée par la céramique.
A droite : Grâce à sa forme ronde, la céramique paraît moins volumineuse qu'elle ne l'est. Le bouquet lui est presque équivalent ; il entre en relation avec le récipient par les parties qui vont vers le bas et entoure le vase.

le bouquet constituait une valeur en soi. En même temps, la signification du vase diminuait jusqu'au moment où il devint le « serviteur » des fleurs. Entre-temps, on a appris, et cela depuis fort longtemps, à bien distinguer le remplissage d'un vase d'un bouquet noué. La définition claire des formes florales dont on sait ce qu'elles doivent et peuvent être, permet, à présent, de se laisser tenter par des transgressions et par le jeu des différentes interprétations qu'on peut utiliser. Il peut donc y avoir des garnitures de vases noués et des bouquets remplis ; de cette façon-là, on obtient des variations et des décalages dans les valeurs et les tâches assignées aux fleurs.

Le jeu des proportions

Les rapports entre la taille d'un bouquet et celle d'un récipient peuvent être aussi variés que les points de vue concernant les bouquets eux-même. Pour s'orienter, on peut prendre le rapport de 2 : 1, ce qui veut dire que la taille du bouquet occupe les 2/3, celle du récipient 1/3 (valeurs moyennes). Mais ce qui est déterminant dans ce rapport n'est pas d'emblée la hauteur, mais quel élément doit être dominant, le bouquet ou le récipient. Il est connu que deux parties à taille égale ont à peu près la même valeur sans qu'il y ait là une tension particulière. Parfois, elles peuvent aussi entrer en concurrence l'une avec l'autre. Pour obtenir une plus grande tension et moins de concurrence, il serait donc logique qu'une partie soit subordonnée à l'autre. Le bouquet peut faire cela, mais aussi le récipient. Ce retrait d'une partie en faveur d'une autre, ne concerne pas seulement le jeu des proportions, mais il peut aussi se faire au niveau de la forme, du caractère et de la couleur.

La forme du bouquet – la forme du vase. Le cylindre qui est haut et étroit, est surmonté d'une sphère qui est ramenée vers l'intérieur. Cette interruption de la ligne droite pure fait écho à la forme des fleurs. La hauteur du récipient correspond à la longueur de l'asparagus. La texture lisse et dure des fleurs trouve la qualité correspondante dans l'éclat et le lustre de la glaçure du vase.

Si l'on veut que le vase et le bouquet de fleurs coupées dégagent une force homogène, celle-ci devait être obtenue par des moyens optiques. D'autres éléments que la taille et la hauteur devraient jouer un rôle. En règle générale, pourtant, le bouquet noué qui est lui-même dominant, est mis dans un vase. Il existe, pour les récipients, quelques formes de base, d'un caractère toujours « organique », qui sont intemporelles et qui s'adaptent à la plupart des bouquets. Les vases peuvent avoir la forme d'un gobelet, d'une bourse, d'une jatte ou bien d'une bouteille, d'un tuyau, d'une sphère, d'une goutte, d'une coupe ou d'un cylindre, étirés vers le haut. Selon la coupe transversale et la largeur de l'ouverture, on peut les utiliser soit pour de gros bouquets abondants, soit pour des bouquets étroits et élancés.

Les formes des récipients

Même si le vase a une fonction subordonnée, il est important que la silhouette formée par le bouquet et le récipient présente un tracé harmonieux. Cela concerne surtout les lignes du bouquet en relation avec la forme du récipient et sa base à l'endroit où elle rencontre le récipient. Un bouquet rond, bien aéré, aura sa meilleure place dans des vases sphériques, dans des vases ouverts en forme de demi-goutte et dans des gobelets galbés. Dans ce cas-là, il se crée, sur le plan optique, une unité harmonieuse et généreuse entre la partie extérieure du bouquet et le haut de la paroi du récipient. Un bouquet graphique peut être mis dans des cylindres, des parallélèpipèdes étroits, des cubes ainsi que des bouteilles effilées. Des bouquets abondants vont bien avec des vases en forme de pots, aux formes ventrues ou bien avec des gobelets en forme d'un trapèze. Des bou-

Les formes de récipients. L'exigence fondamentale d'un vase concerne sa fonction. Il doit tenir debout d'une façon sure et maintenir le bouquet réellement, aussi au niveau optique. Et souligne le caractère des fleurs par sa présentation et sa couleur.
Les vases peuvent être en verre, en céramique, en porcelaine ou en métal. Les vases en céramique sont les partenaires idéaux pour toutes sortes de fleurs, surtout quand on voit, sur les vases et les pots, des traces de la fabrication et de l'origine naturelle du matériau utilisé.
Certains effets de textures végétales peuvent être renforcés par des récipients en verre, en porcelaine ou en métal.
Des vases sphériques et des récipients

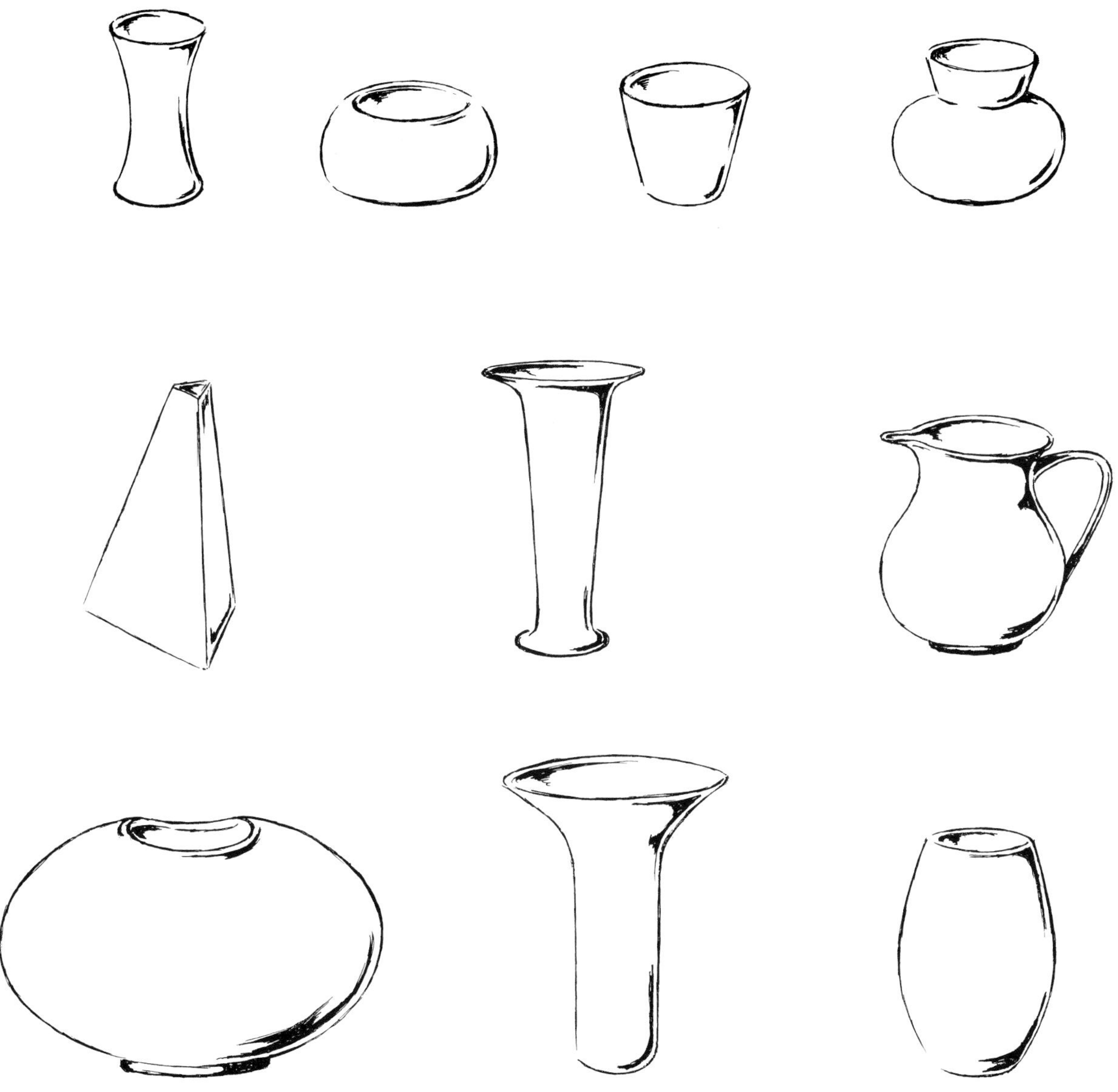

dérivés de cette forme, sont adaptés à un grand nombre de bouquets, c'est-à-dire à tout ce qui est rond, avec des contours plus ou moins galbés, que ce soit sous une forme dense ou plus aérée ; ces récipients s'adaptent aussi à des formes plates et suspendues.

Les cylindres et les vases, proches de cette forme, donnent une stabilité à des bouquets longs, linéaires et d'un graphisme affirmé. Lorsque le cylindre s'élargit ou se rajeunit vers le haut ou le bas, il peut aussi être un complément pour des bouquets plus décoratifs et plus abondants.

Les récipients ventrus de formes classiques servent aux gerbes plutôt décoratives ou à d'autres plus naturelles ; cela dépend du rapport entre la rondeur et l'ouverture.

Des gerbes de fleurs coupées, petites ou grandes, peuvent être mises dans des coffrets, des coupes peu profondes et des plats ; cela vaut aussi pour des bouquets couchés et ceux qui ont des tiges courtes.

Différentes formes de cruches s'associent bien à toutes sortes de gerbes paysannes et à certains bouquets liés aux saisons.

quets, ayant des surfaces plates ou très étendues, s'accordent bien aux sphères ou aux récipients assez hauts en forme de coupe. Ceux-ci sont aussi adaptés à des bouquets retombants.

Les récipients doivent aussi avoir le droit d'être ce qu'ils sont d'après leur dénomination, c'est-à-dire des objets qui « saisissent » quelque chose. Il ne faut pas qu'ils fassent comme s'ils étaient autre chose, et seulement accessoirement des récipients. Des constructions « originales » comme par exemple le grand vase stylisé en porcelaine qui représente une « tête d'africain », et qu'on pose par terre, ou bien la maison en céramique avec un toit ouvert, ne peuvent pas figurer parmi les vases aptes à accueillir un bouquet.

À côté du bon vase artisanal, qu'on utilise couramment, il y a des récipients artistiques en céramiques, en porcelaine, en verre ou en métal, qui peuvent être des objets utilitaires, mais qui, de par leur conception, dépassent largement ce cadre. Lorsqu'on choisit un tel vase, on doit absolument tenir compte de son caractère particulier, il se peut alors qu'on ait à donner aux fleurs une fonction qui soit uniquement accessoire ou créatrice de contrastes.

Des changements par rapport aux normes

Pour la hauteur, la longueur et la largeur, il est possible de changer d'une façon intéressante et très variée les rapports entre les différentes proportions. De même, la qualité des récipients peut être changée grâce à un point de vue modifié ; c'est ainsi qu'on peut faire sortir de sa léthargie le thème parfois nécessairement ennuyeux du « bouquet et de son récipient ».

De simples modifications dans la hauteur du bouquet et du vase peuvent amener des angles de vue pleins de charme. La longueur disproportionnée d'un bouquet par rapport à son récipient, peut amener la légèreté, mais un manque de sensibilité dans la perception des quantités peut vite conduire à quelque chose d'écrasant et de lourd. Lorsqu'une composition est réussie, on remarque très simplement la légèreté du mouvement ascendant et l'écoulement gracieux du motif en dentelle interrompu, le tout dans une convergence de tracés légers et effilés. Pour des fleurs gracieuses, simples et agréables, il convient de choisir un récipient qui fait apparaître leurs qualités précises et qui se met précisément au service de cet aspect de leur être. Il peut paraître étrange d'entendre dire qu'un pot surdimensionné fait apparaître le caractère gracieux d'un petit bouquet d'ancolies ou de campanules. Ce bouquet devient alors une entité tendre et digne d'être protégée, et, en même temps, on perçoit quelque chose de la force étonnante qui peut émaner des fleurs.

Des rapports qui se situent nettement en-dessous ou au-dessus de la norme, nous font découvrir, indépendemment de la surprise formelle, que l'effet produit par les fleurs et les plantes ne dépend pas uniquement de l'harmonie généralement utilisée entre la hauteur et la largeur d'un bouquet. Mais qu'on peut aussi tenir compte de leur séduction qui est tout à fait étrange et impalpable. Dans les relations entre le vase et le bouquet il y a en effet toute sortes de degrés intermédiaires qui peuvent varier selon le type de bouquet ou de récipient. On arrive à un extrême lorsque la taille du récipient devient tellement secondaire qu'on ne le voit presque plus ; d'un autre côté, la taille du récipient peut être tellement mise en valeur que les fleurs ne sont plus qu'une petite touche de couleur.

L'expression personnelle qu'on peut introduire au niveau des rapports entre les différentes proportions, est aussi possible pour les récipients. Là, il ne s'agit pas d'une expérimentation fortuite, mais de la possibilité de tirer des plantes des effets inhabituels et d'essayer, dans quelle mesure, le caractère d'une plante est susceptible d'être modifié. Le fait de disposer un bouquet d' œillets dans un vase en porcelaine, correspond bien à l'élégance de ces fleurs qui rappelle justement la porcelaine ou la soie. Mais lorsque nous le plaçons dans une cruche émaillée ou dans une vieille terrine, son caractère robuste et coriace apparaît. Le vase précieux et splendide peut contenir des fleurs nobles. Mais d'étrange façon, il confère une composante noble à des fleurs toutes simples, voire à des mauvaises herbes, si ces dernières veulent s'adapter à l'ambiance formelle qu'on voudrait créer.

L'aspect artisanal de l'art des bouquets

Nouer un bouquet signifie faire un geste à la fois simple et raffiné. A partir de l'agencement et de la structure de parties végétales, nous arrivons à un ensemble qui repose sur un principe très simple ; ce principe englobe la statique, l'épanouissement et la fixation et cherche un équilibre entre eux. Tous les procédés artisanaux qui sont fondés sur une simplicité logique, aboutissent à une perfection bien visible qui peut aussi être atteinte lorsqu'on noue un bouquet.

Les moyens techniques

On peut réduire les moyens techniques nécessaires à un minimum, sans que cela nuise à la qualité du bouquet. On n'a pas besoin de tout un arsenal de matériaux, d'éléments et d'ustensiles techniques pour arriver au but.

Renforcer la tige – avec ou sans fil de fer

Normalement, un bouquet peut et devrait être noué sans fil de fer ni d'autres moyens techniques, à l'exception du raphia. Plus on réussit à nouer un bouquet sans le « construire », plus il paraîtra naturel, pourvu qu'on ait la pratique nécessaire. Mais il y a des exceptions qui sont motivées, soit par le matériau, soit par la forme du bouquet. Et même là, il s'agit d'observer la règle moins on utilise des moyens techniques, mieux c'est.

Parfois il peut être nécessaire de renforcer des pédoncules qui se brisent très facilement. Or il faut éviter de les renforcer de l'extérieur lorsque les tiges du bouquet noué sont visibles. Les exceptions possibles seraient celles où – dans des bouquets relativement denses – quelques fleurs, situées près du bord extérieur, doivent pencher un peu et qu'il serait trop compliqué de les soutenir. Le renforcement se fait avec un fil mince, recouvert d'une laque verte, ayant une épaisseur entre 0.5 et 0.1 cm (le fil vert). Avec un peut d'habileté, ce geste peut aussi être effectué pendant qu'on noue le bouquet.

Dans le cas où les tiges sont molles où risquent de casser, il peut être nécessaire de les renforcer de l'intérieur. Ceci est le cas chez les renoncules, *Doronicum*, les narcisses, *Dicentra*, le pavot, les marguerites, les trollius, les anémones, *Amaryllis* ; pour ce dernier, il est utile d'utiliser un tuteur.

Lorsque le bouquet exige une forme suspendue ou couchée, il peut être nécessaire de soutenir certaines tendances végétatives.

Renforcer par l'intérieur (à gauche). Des tiges perméables ou creuses peuvent facilement être renforcées par l'intérieur. On pousse le fil de fer vers le haut en commençant au bout de la tige. Il peut éventuellement aller jusqu'au réceptacle, mais souvent il suffit d'avancer juste un bout.

Soutenir (à droite). On pose deux bouts de fil de fer d'une épaisseur qui correspond à celle de la tige, parallèlement à celle-ci, de sorte que les fils sont situés – dans le sens de la longueur – à l'endroit même où le bouquet sera noué. Si les fils étaient trop longs, on risquerait de les voir au-dessus du point de ligament ou bien ils déborderaient sur la base du bouquet. S'ils étaient trop courts, la tige risquerait de se briser. Le floratape doit relier fermement les fils avec la tige, sans pourtant l'écraser.

Bouquet à petites fleurs. Avec leurs dimensions modestes, celles-ci s'adaptent volontiers à la forme ronde du bouquet. Leur souplesse ainsi que leur port légèrement courbé font que cette forme homogène ne parait pas ennuyeuse. Dicentra, Lavandula stoechas, Allium neapolitanum, Rhamnus, Ophiopogon*, les roses, les renoncules.*

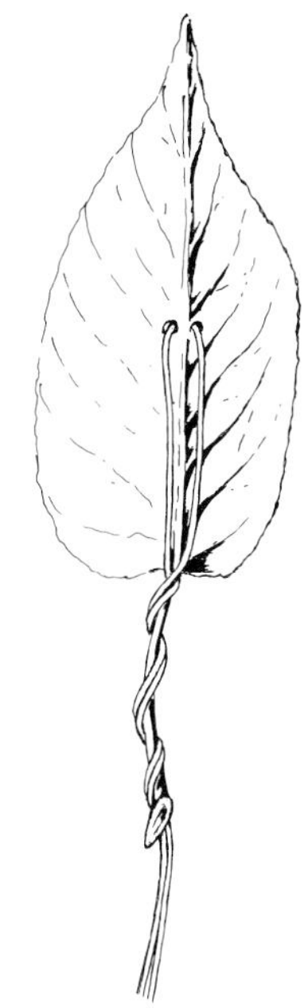

De gauche à droite :
Renforcer par le haut. Bien qu'on préfère généralement soutenir avec du fil de fer par le bas, il peut être nécessaire de transpercer le receptacle. En le faisant, il faut être particulièrement prudent pour ne pas endommager l'épiderme.

Soutenir des tiges pulpeuses. Parfois il faut soutenir des tiges pulpeuses comme celles de l'Amaryllis. On fait glisser un tuteur par la tige creuse ; il trouve suffisamment de résistance dans la partie supérieure de la tige qui se rétrécit. La partie inférieure contient une petite banderole pour éviter que la tige s'enroule.

Renforcer des feuilles. Il convient de renforcer des feuilles à la face inférieure de la feuille. Le fil est introduit derrière la nervure centrale et traverse la surface de la feuille. Ensuite on courbe étroitement les deux parties du fil et on les conduit vers la tige en passant par le milieu. Avec un bout du fil, on enveloppe la tige ainsi que l'autre bout.

On arme avec du fil de fer des pédoncules isolés, pour que deux bouts de fil soient posés parallèlement le long du pédoncule là où on nouera le bouquet ; ensuite on les entoure fermement de floratape. Ainsi nous arrivons à renforcer une tendance, à modeler un pédoncule et à l'empêcher de se briser.

Dans le cas des bouquets en cascade, le renforcement ne peut servir qu'à stabiliser des pédoncules mous et fragiles ; il ne sert guère à les courber. L'utilisation du fil de fer qui peut stabiliser et rendre plus maniables de telles formes, ne doit pas conduire à ce qu'on courbe toutes sortes de pédoncules et de tiges dans la direction qu'on souhaite. Cela s'avère complètement artificiel et le temps investit, est trop long pour le résultat obtenu. En utilisant cette technique, on peut tout au plus renforcer et soutenir la structure par-ci par-là.

Cela vaut aussi pour des parties végétales qui n'ont pas de pédoncules très prononcés, comme certains fruits, des mousses et ainsi de suite. Si on réussit à placer une tige qui porte des fruits assez bas, les fruits isolés n'ont pas besoin d'être fixés avec du fil, contrairement bien entendu aux parties isolées sans pédoncule. Dans le cas des arrangements floraux qui évoquent un paysage, il peut être nécessaire de fixer des morceaux d'écorce ou des branches sèches et bizarres avec du fil de fer, car ils sont parfois trop épais pour être simplement intégrés dans le bouquet. Il convient ici de les entourer, selon leur épaisseur, par un fil épais de 0.12 à 0.14 cm, et des les lier ensuite. En faisant cela, il faut pourtant respecter les autres tiges plus tendres, pour qu'elles ne soient pas endommagées, aplaties ou brisées, au point focal, par un fil trop fort, ou d'autres tiges plus robustes et dures.

un bouquet. Cela ne suffit pas, car le propre de la plupart des procédés artisanaux est qu'on n'apprend que par l'expérience, par sa propre activité. Des conseils techniques peuvent servir à percevoir les gestes principaux, à éviter les erreurs et à réfléchir à de petites améliorations. Comment il faut tenir et nouer un bouquet, cela ne peut être ressenti et développé que par la pratique. Avant de commencer, les pédoncules sont à nettoyer ; on enlève les restes de feuilles et d'épines. On sépare les pédoncules fortement ramifiés, en utilisant les pousses latérales à part. Lorsque'il y a trop de feuillage, on en enlève un peu ; le bouquet devient alors moins touffu, et la surface d'évaporation des plantes diminue en même temps considérablement.

Renforcer par l'extérieur. Dans la plupart des cas, on renoncera, pour un bouquet noué, à le renforcer par du fil de fer (voir page 63). Si c'est pourtant nécessaire, on choisit, dans le cas de tiges apparentes, de renforcer par l'intérieur. C'est seulement au cas où le fil ne dérange pas, ni en-dessous, ni au-dessus du point de ligature, que des fleurs qui n'ont pas des tiges continues, peuvent aussi être soutenues par l'extérieur.
A gauche : Avec le fil de fer, on transperce le receptacle, on le conduit étroitement le long du pédoncule et on l'enroule plusieurs fois autour de la partie inférieure de celui-ci. Nulle part il ne doit s'écarter d'elle.
Au milieu : Selon cette méthode traditionnelle, on conduit le fil autour du pédoncule en l'enroulant d'une façon plus ou moins serrée.
A droite : On renforce avec du fil de fer, non pas à partir du calice, mais bien plus bas. Le fil de fer forme une boucle qui passe autour de la tige ou d'une ramification.

Nouer le bouquet

On noue le bouquet avec du raphia. Chacun doit choisir entre la qualité naturelle ou artificielle. Le raphia naturel qu'on trempe vite dans l'eau ou qu'on fait passer par des mains humides avant de nouer le bouquet, adhère très bien. Le raphia artificiel est moins cher. Pour certains types de bouquets, on peut aussi utiliser d'autres matériaux comme du ruban, de la ficelle ou de l'herbe longue – au fond, tout ce qu'on peut courber, lier et nouer. Mais si l'on n'observe pas leur fonction et la logique de la forme, ces variations, utilisées pour produire un effet, n'ont aucun sens.

Les techniques utilisées

On peut expliquer théoriquement, par la parole et le dessin, comment on noue

Comment procéder

D'habitude on commence par le milieu du bouquet. La main gauche tient les fleurs, la main droite les rassemble ; le gaucher peut éventuellement procéder dans l'autre sens. Le premier pédoncule est tenu droit, le deuxième est rajouté en biais devant le premier ; la fin du pédoncule va vers le bas, à droite ; sa pointe vers le haut, à gauche. On peut aussi tout simplement croiser les deux premiers pédoncules, mais on doit alors faire attention que le milieu ne devienne pas trop faible par la suite.

Tous les pédoncules qui suivent seront maintenant rajoutés dans la même position en biais, allant de gauche à droite. Pour aboutir à une bonne répartition, le bouquet qui se forme doit être tourné de temps à autre, cas il faut toujours rajouter les tiges dans la même direction. Par ce biais, on évite des lacunes et des endroits où les pédoncules sont superposés ; ainsi peut naître une botte de tiges qui se déploie

Un bouquet à moitié noué dans la main qui le tient. Toutes les tiges sont rassemblées dans la main en forme de spirale. Le point de ligature situé dans la main qui tient la gerbe, ne doit pas être ni trop bas, ni trop haut.

Un bouquet à étages ayant des tiges disposées en spirale. Le point de ligature doit être dégagé de son feuillage, et la disposition des pédoncules ne doit être dérangée par des tiges en sens inverse.

Une forme de base d'un bouquet (en bas à gauche). Les tiges sont posées en spirale, le point de ligature est étroit. Le bouquet se tient en équilibre, tous les pédoncules ayant la même longueur.

Un bouquet rond décoratif (ci-dessous). Un bouquet rond, décoratif et symétrique est noué avec des campanules, des astilbes, Matricaria, les statices etc. Le bouquet gagne en vivacité lorsqu'on y intègre, dans le bas de la partie intérieure, de petites fleurs et du feuillage.

L'équilibre optique (en haut). Pour garder l'équilibre du bouquet sur le plan optique, la distance entre toutes ses parties ainsi que le mouvement et la masse doivent s'orienter harmonieusement par rapport à l'axe de symétrie prévu.
En ce qui concerne les bouquets symétriques, on essayera de créer un maintien semblable et des distances homogènes pour toutes leurs parties par rapport à l'axe de symétrie. Pour les formes asymétriques, les composants sont différents et les distances contribuent à créer des tensions.

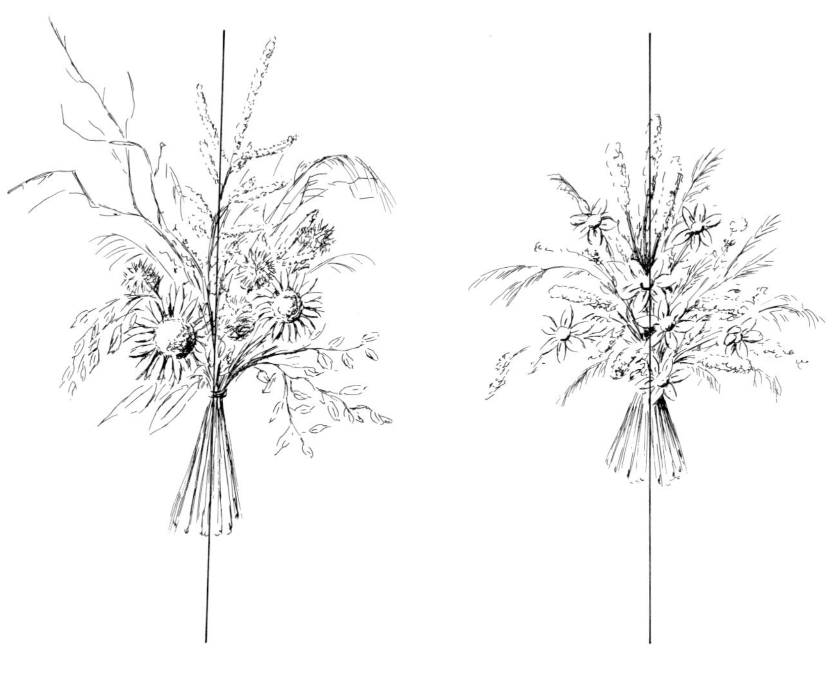

Des fleurs de printemps multicolores dans un bouquet décoratif (en bas à gauche). La forme est aplatie et un peu couchée ; elle est en harmonie avec le vase en forme de sphère qui a une large ouverture. La hauteur du bouquet est réduite et les distances par rapport à l'axe sont équilibrées.

Une disposition des tiges dans un bouquet noué. Des pédoncules qui se déploient en forme de spirale avec un point de ligature étroit (à gauche). Des pédoncules disposés parallèlement avec un point de ligature étroit (au milieu). Des pédoncules disposés parallèlement avec un lien parallèle à la base du bouquet (à droite).

vers le haut et le bas. Des pédoncules qu'on a posés dans le mauvais sens, contre le mouvement en spirale, s'adaptent mal à cette forme et créent des espaces creux. La main qui tient le bouquet peut éventuellement compenser ce défaut, mais il sera perçu au moment où on noue le bouquet. De telles erreurs font que la disposition des fleurs bouge, et que la répartition des végétaux dans le bouquet entier se trouve décalée. La base du bouquet devient trop épaisse et difficile à saisir ; en plus, elle devient disproportionnée comparée avec le volume du bouquet entier. Lorsque toutes les fleurs préparées sont rassemblées, on commence à lier le bouquet, et très précisément au point focal de la spirale, à l'endroit le plus mince. On tire le fil de raphia, au-dessus de la main qui tient, autour des tiges jusqu'à cet endroit, ensuite on le lie fermement, mais sans inciser les végétaux, et enfin on le noue. Pour les petits bouquets, cela peut être fait librement ; mais pour les plus lourds, il suffit de les appuyer sur le bord d'une table. Pour cette forme de base, la largeur de l'endroit où l'on noue le bouquet ne doit pas être trop importante ; elle dépend de la taille du bouquet et la fragilité des tiges.

Des tiges parallèles, un lien accentué (en bas à droite). Des bouquets statiques, formels ou aux lignes tendues peuvent avoir des pédoncules parallèles ainsi qu'un point de ligature large ou accentué d'une autre manière.

D'autres formes

Cette forme de base peut être variée. Selon le type de bouquet, nous ne commençons pas par une seule tige, mais tout de suite, avec plusieurs tiges qui forment un petit groupe. On continue le bouquet comme avant, avec la différence, qu'on ne rassemble pas toutes les tiges l'une après l'autre, mais qu'on les regroupe par petits paquets.

On peut aussi commencer un bouquet du côté extérieur, au lieu de commencer par le milieu. Il se construit alors par segments et évolue vers le milieu, pour trouver sa finition de l'autre côté. On pose alors les pédoncules sous forme de spirale. Cette façon de procéder est avantageuse, pour des bouquets aérés qui sont composés des matériaux mous ayant tendance à pencher. Dans ce cas-là, les lignes que ces matériaux rendent possibles, ne vont pas seulement du milieu vers l'extérieur, mais elles partent, en traversant le bouquet, dans des directions différentes, par exemple de l'extérieur à l'intérieur.

L'activité de nouer le bouquet n'est pas une fin en soi, mais elle doit correspondre à la forme à laquelle on voudrait aboutir. Le point focal en forme de spirale est utile pour la plupart des types de bouquet, mais pas pour tous. Dans certains cas, il est avantageux de rassembler les tiges parallèlement. Des bouquets ayant un graphisme prononcé et qui sont composés de quelques tiges seulement, forment souvent tout naturellement des points focaux parallèles. Il s'agit par exemple de bouquets qui présentent un élan et un mouvement qui va loin vers l'extérieur. Ou encore des bouquets avec seulement quelques fleurs à tiges souples comme *Amaryllis*, *Eucharis* et d'autres. Dans ce cas précis, on peut varier la largeur habituelle du noeud. En effet, il vaut mieux que des fleurs fragiles soient tenues par un lien assez large, ce qui est aussi plus satisfaisant sur le plan esthétique. Les tiges parallèles sont aussi adaptées à de petits bouquets ronds ; cette forme s'impose de par la forme et la quantité de fleurs utilisée. Dans ce cas-là, la base peut être mince ou large, ou bien toute la tige peut être entourée d'un fil.

<u>Un bouquet qui penche naturellement</u> *(page de gauche). Avec l'aide de parties végétales qui penchent et tombent vers le bas, on arrive à créer des formes qui n'ont pas l'air construites. On peut sans difficulté suivre la tendance naturelle des plantes :* Gentiana asclepiadea, Alcea rosa, Eccremocarpus scaber, Hydrangea arborescens, Salpiglossis sinuata, Tropaeolum peregrinum, Tropaeolum peltophorum.

<u>Un bouquet à mouvement symétrique.</u> *Pour ce bouquet symétrique et couché ont été choisies des fleurs annuelles ou des vivaces sans prétention qui adoptent facilement la forme qu'on veut obtenir.*

Des bouquets divers et variés

Lorsqu'on noue un bouquet, la technique de base résulte logiquement de la forme définitive qu'on voudrait lui donner. Plus on choisit, rassemble, construit et lie d'une façon propre et nette, plus le résultat est convaincant. Des variations possibles doivent être motivées par le type de bouquet envisagé.

Des bouquets destinés aux vases

Le bouquet qui est destiné à un récipient précis, peut être noué ou bien disposé, tout de suite, dans le vase, sans qu'on le noue avec du raphia. En procédant ainsi, on a souvent besoin de certaines fixations, surtout si l'on ne vent pas, comme d'habitude, tenir, composer et nouer le bouquet.

La fixation peut se faire uniquement par une interpénétration des tiges utilisées, mais les différentes ramifications peuvent aussi les maintenir dans la position souhaitée.

Différents matériaux peuvent être utilisés pour le maintien ; selon leur caractère ils sont visible ou cachés : du grillage métallique recouvert d'une couche protectrice ou simplement galvanisé, du fil de fer bobiné, des baguettes ou des bâtonnets posés verticalement ou horizontalement et qui peuvent être en matière plastique, en bois ou formés de branches etc.

Des bouquets secs qui tiennent debout

En partant de gerbes courtes, denses et tenues parallèlement, on en est arrivé à

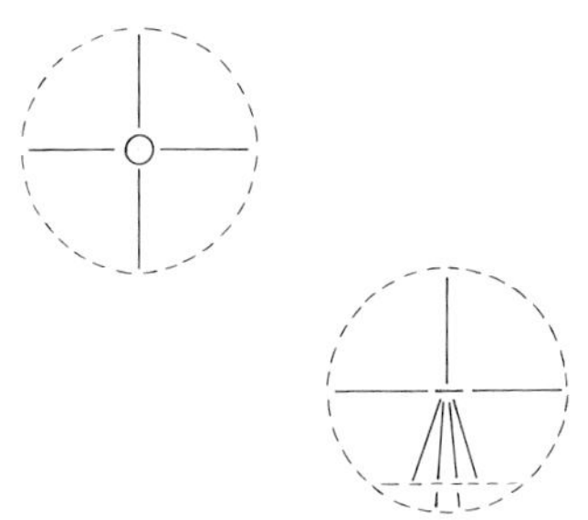

Des règles classiques. Les contours du bouquet (en haut) sont, vus de dessus, ronds, ayant de profil la forme d'un demi-cercle. Les pédoncules sont un peu plus courts que les côtés et la hauteur. Si on veut modifier l'équilibre des proportions, une vérification utilisant les deux perspectives s'impose.
Pour des bouquets plus hauts voir p. 73.

Pour des bouquets couchés ayant une forme plus plate (en bas), les mêmes règles sont valables que pour ceux qui sont liés plus en hauteur.

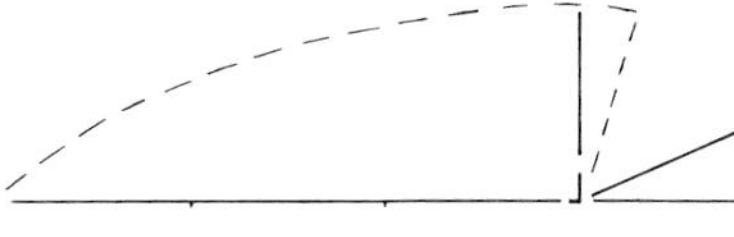

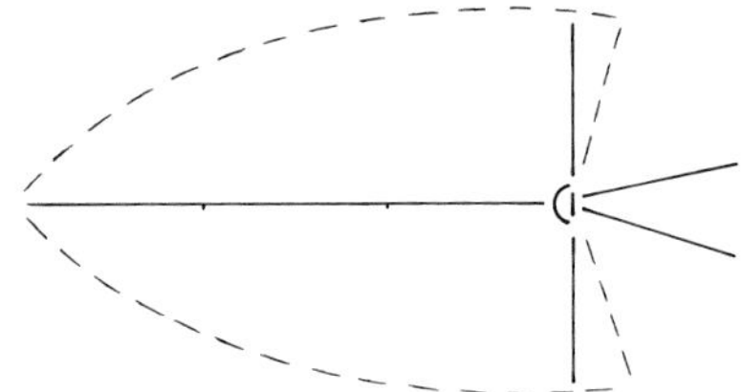

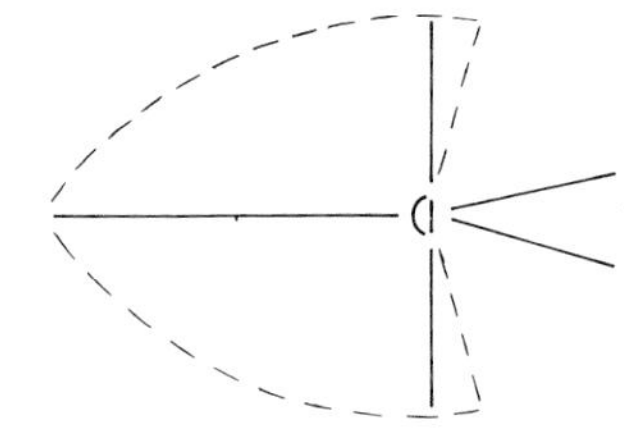

Des bouquets couchés (qui vont être disposés dans des coupes) doivent être noués en ayant le côté du bas plus arrondi. Voici les bases concernant les mesures pour des bouquets horizontaux, noués des deux côtés : nous prenons la hauteur moyenne trois fois pour un grand côté et une fois pour le petit côté ainsi que les tiges (voir l'esquisse en bas, 1 : 2).

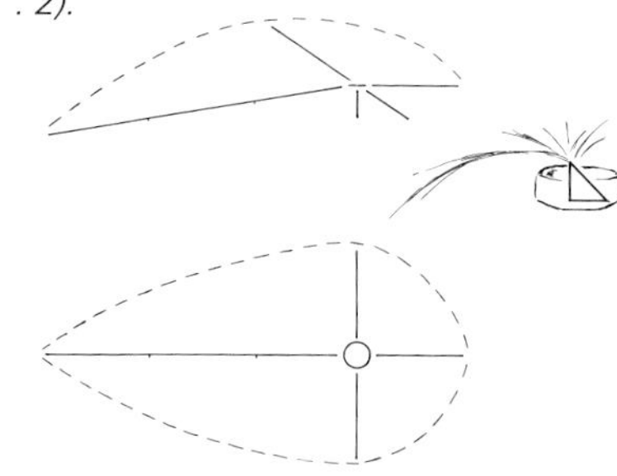

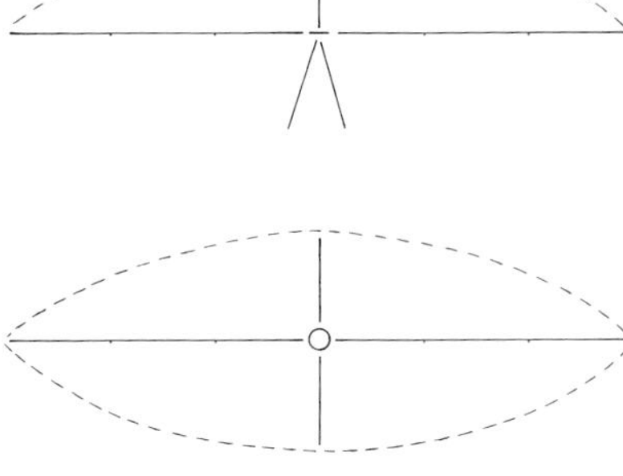

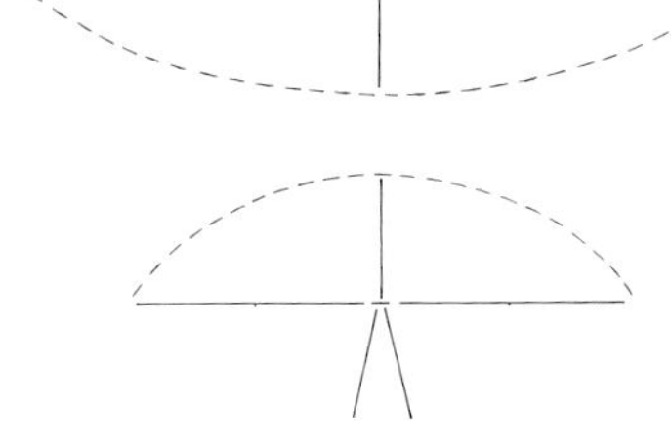

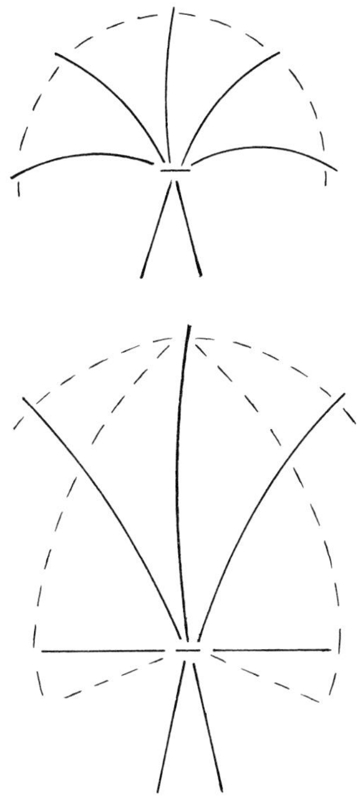

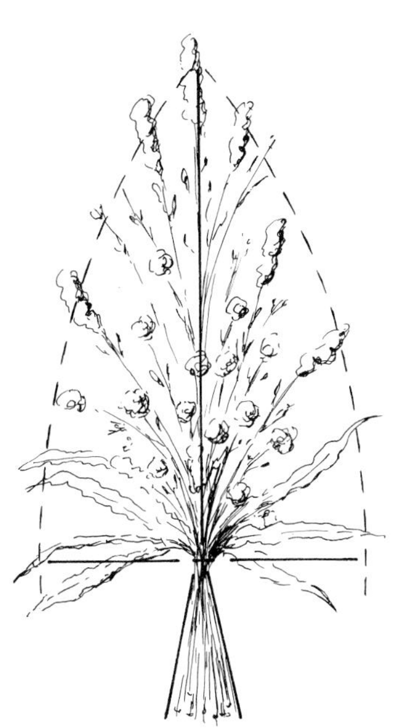

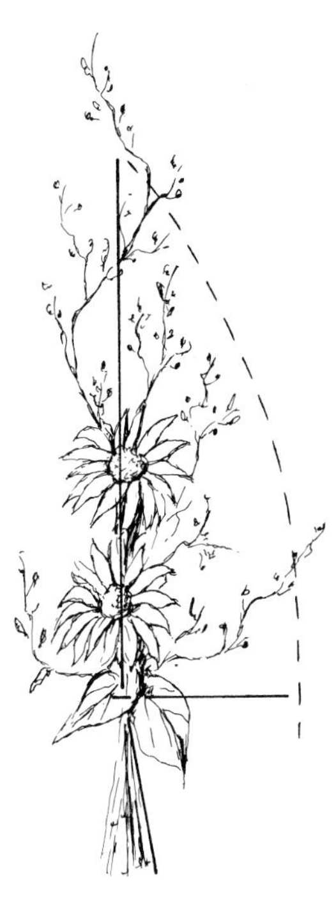

Des formes de bouquets normatives.
Beaucoup de variations font appel à des formes traditionnelles qui, même quand elles sont utilisées librement, se conforment à un équilibre conventionnel. Parmi ces formes nous en trouvons qui ressemblent à un oval, d'autres qui sont horizontales, nouées d'un seul ou des deux côtés, mais aussi une série de bouquets ronds.
Leur longueur est la même vers le haut, le bas et des deux côtés, tandis que les pédoncules doivent être plus courts que les mesures pour la hauteur et les côtés (en haut).
Un bouquet lié plus en hauteur peut avoir les mêmes longueurs (peut-être un peu décalées) vers le haut ainsi que des deux côtés ; concernant les proportions, 2/3 se trouvent à peu près au-dessus du lien, 1/3 en-dessous (voir p. 26 en bas).
Le bouquet à étages, lié en hauteur (au milieu) a besoin d'une longueur efficace, laquelle pourrait se situer, selon le type et le caractère des fleurs, au moins aux environs de 3/3 vers le haut, 1/3 des deux côtés et 1/3 en-dessous du point de ligature. Pour des formes encore plus longues et effilées, on peut aller jusqu'à 3/4 vers le haut et 1/4 vers le bas.
Des mesures semblables entrent en ligne de compte pour des bouquets linéaires, graphiques (à droite). Pour composer de tels bouquets, on choisit de préférence des formes naturelles bizarres et où domine le mouvement.
Cela exige qu'on tienne particulièrement compte du prolongement optique de lignes, au-delà de leur aboutissement réel. C'est pour cela que dans ce cas précis, les mesures pour les longueurs peuvent dépasser les normes.

l'idée de travailler sur des gerbes ou bouquets plus hauts, tenus verticalement ou en forme de spirale.

Dans un premier temps, ces gerbes étaient composés principalement de matériaux secs ou de matériaux frais, mais qui conservent bien leur caractère en séchant. Ce genre de développement aboutit forcément à des variations et compléments plus ou moins sensés. La première exigence de ce type de bouquet, est qu'il doit tenir debout sans support extérieur. Toute fixation supplémentaire lui enlève son caractère propre. Les formes et techniques choisies ne doivent pas négliger la statique, mais elles doivent au contraire, plus que chez d'autres gerbes, en tenir compte. Plus le bouquet est haut par rapport à son diamètre, moins il tient debout. Cela vaut avant tout pour le bouquet à tiges parallèles.

La règle pour le bouquet noué en forme de spirale est : moins les tiges s'écartent, plus le bouquet peut basculer facilement.

Des bouquets noués parallèlement ou en spirale reçoivent leur caractère par leur fonction, c'est-à-dire tenir debout. Plus on décore un tel ouvrage, plus on modifie ou brise son procédé logique, plus le résultat devient discutable. Un bouquet de ce genre ne peut pas être un bouquet « normal » qu'on dispose tout simplement dans une coupe. Il doit être rassemblé jusqu'à la pointe dans une ligne précise, ce qui est aussi important que le lien qu'il a avec son récipient. Dans le cas des formes parallèles, toutes sortes de variations sont possibles pour la composition droite, en forme de gerbe ou de colonne, mais il faut bien se garder d'affaiblir la composition ou d'y introduire des décorations ou des formes végétales contrastées qui ne vont pas avec l'ensemble.

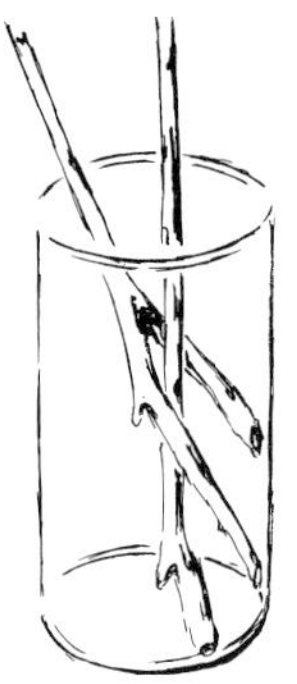

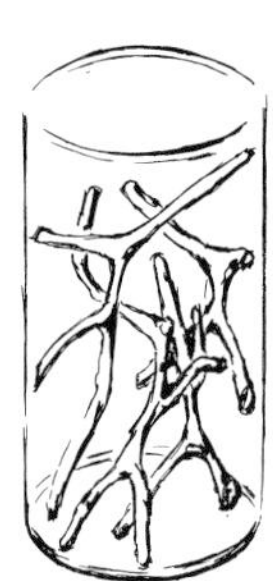

Des soutiens. Pour des tiges détachées qui doivent être rassemblées pour former un arrangement, différents soutiens entrent en ligne de compte qui s'orientent selon la forme de bouquet qu'on voudrait obtenir. En partie, elles peuvent être empruntées à l'ikébana. Pour des bouquets effilés ou qui sont composés de quelques fleurs seulement, on peut utiliser des attaches formées par des rameaux.

Les différentes variations de bouquets secs destinés à tenir debout. Le bouquet, qu'on peut voir à gauche, a été composé en nouant les tiges en forme de spirale. Pour des bouquets à grand format ou qui doivent se conserver pendant longtemps, un lien intermédiaire est à sa place. Le bouquet, à droite, a été composé à partir d'une gerbe parallèle. Il a particulièrement besoin d'un équilibre optique et surtout statique pour bien tenir debout.

<u>Un bouquet qui tient debout</u>. Il est composé ici de fleurs d'été ou de la fin de l'été qui ont la substance nécessaire pour cette composition.
Se trouvent sur leurs tiges des hortensias, de Lisianthus, *de* Amaranthus, *l'aconit, des dahlias. La structure est donnée par des branches de* Cornus alba, *les entrelacs et les mouvements en cascade proviennent de rameaux et de vrilles de* Lonicera henryi *ainsi que de* Cardiospermum halicacabum.

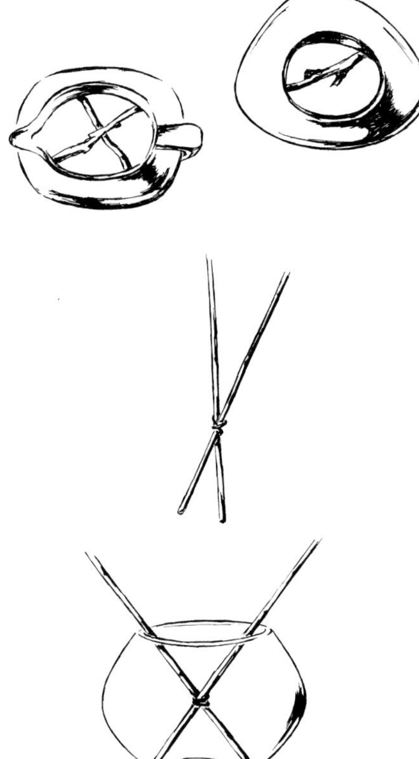

Des entretoisements. En haut de simples structures horizontales : des bouts de rameaux coincés sont fixés, légèrement tendus, en diagonale ou en croisement en-dessous de l'ouverture du vase. Pour faire rentrer deux segments de branche croisés dans un vase, on les introduit un peu plus verticalement pour les écarter ensuite (en bas).

Un bouquet qui tient debout avec des arums des feuilles d'iris. Ce bouquet se présente tout simplement et de par la logique qui règne dans le rapport entre les tiges et les feuilles. Rien n'est limité, rien n'est rajouté. Les relations formelles et le maintien se créent sans effort particulier, sans crispation, et elles sont pourtant bien visibles.

Lorsqu'on utilise des matériaux secs, les bouquets de ce type peuvent être fixés avec différents fils de fer, avant de les nouer avec du raphia, de la ficelle, du ruban ou du fil décoratif bien visibles.

Des végétaux frais utilisent les mêmes matériaux, sauf le fil de fer ; on peut aussi se servir d'herbe, de laine, de vrilles etc. Au-delà d'un bon maintien, la solidité du point de ligature est aussi important. De grands bouquets composés de matériaux secs et ayant des tiges écartées, deviennent plus stables, lorsqu'on les noue à plusieurs reprises en cours de composition, surtout dans le cas où ils doivent rester présentables pendant longtemps et qu'ils doivent changer de place de temps en temps.

Le bouquet mural

La plupart des formes de bouquets peuvent être composées de sorte qu'on puisse les accrocher au mur. Les fleurs et les parties végétales adaptées à cette composition sont avant tout sèches ou faciles à sécher. Les modèles pour ces gerbes peuvent être de simples bouquets d'herbes qui répandent encore leur arôme quand on les accroche après la cueillette. Il est intéressant de combiner, en automne, des plantes séchées et à moitié séchées qui rappellent encore pendant plusieurs semaines, jusqu'à l'approche de l'hiver, les dernières journées d'été. Ces formes sont très simples, et les extrémités des tiges peuvent être accentuées joliment avec des feuilles, de la ficelle, de l'herbe, des rubans et ainsi de suite, selon le caractère du bouquet. Parfois, des bouquets muraux peuvent aussi être composés afin d'arriver à quelque chose de stylisé, de précieux, et même d'exquis.

Avant de commencer le travail, il faut toujours réfléchir à la position du bouquet : faut-il l'accrocher la pointe vers le haut ou vers le bas, horizontalement, verticalement ou en biais ? Selon la forme souhaitée et la qualité des végétaux, une bonne partie des tiges doit être soutenue. Pour éviter un travail imprécis, la longueur des pédoncules à soutenir est à déterminer avec exactitude. Des tiges ainsi soutenues qui sont trops courts, perdent souvent leur solidité et ne sont pas très présen-

Un bouquet mural. Bouquet composé à partir de différents matériaux secs. Ils sont en partie montés avec du fil de fer. Toutes les tiges convergent vers un faisceau qui doit se trouver dans un angle précis par rapport à la base du bouquet, pour que l'arrangement trouve sa place dans la bonne position, suspendu à un crochet mural.

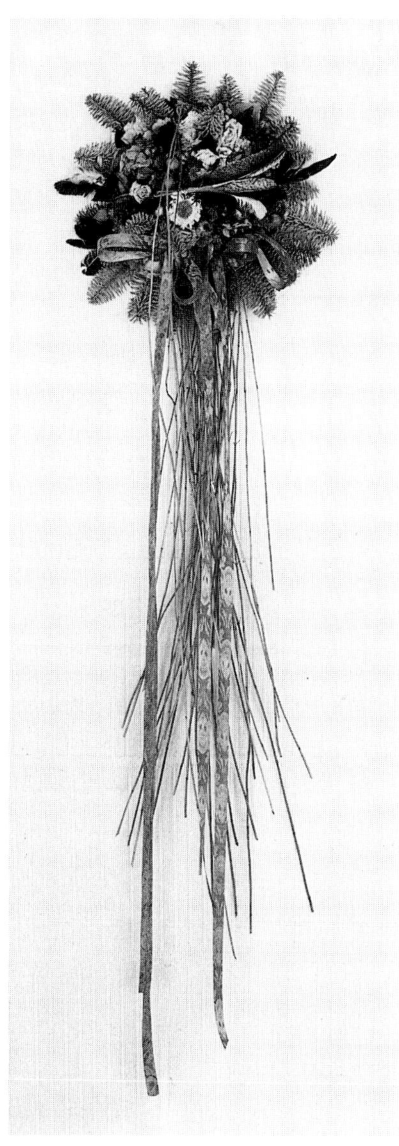

tables à cause du fil de fer trop visible. Dans le cas des pédoncules trops longs, on court le risque de ne pas pouvoir les intégrer facilement ; cela depend de leur souplesse.

Dans la botte des tiges et aussi tout en bas, aucun fil de fer ne doit être visible. Pour couvrir cette partie, on peut le cas échéant relier aux pédoncules des segments de tiges supplémen-

Un bouquet mural effilé. Un petit bouquet, rond et compact, reçoit une base d'une longueur exagerée, accentuée par un ruban. Toutes les tiges sont montées avec du fil de fer. Avec un supplément hivernal composé de pointes de sapin dont les aiguilles ne tombent pas, cet arrangement décoratif peut attirer les regards pendant cette saison.

Un bouquet mural piqué. Cette forme facile est vite composée. Une petite planche en bois et un support de piquage en sont la base. Comme modèle, on prend un bouquet symétrique qui est projeté sur une surface plane. La base du bouquet est composée de parties fixées par du fil de fer.

taires. Ou selon la transition qu'on choisit, des feuilles, des fruits ainsi que du ruban qui doit se présenter sous une forme nouée.

Des gerbes montées sur des baguettes

Le terme mentionné, ci-dessus, ne désigne pas les bouquets gigantesques, composés avant le tournant du siècle, mais des formes légères et enjouées qui ont leur signification en tant que telles ou complémentaires à d'autres formes. Pour les composer, on fixe sur des baguettes des touffes, des gerbes et d'autres formes de bouquets suspendus à l'aide d'un support appuyé contre un mur etc. Comme pour les bouquets muraux, le matériel doit être sec ou en train de sécher, et on doit être sûr qu'en séchant il ne perde pas sa forme. Selon le caractère et la souplesse des fleurs et des parties végétales, on peut alors arriver à des motifs ou des modèles sobres, libres populaires à la mode. Il faut surtout bien observer la transition entre la baguette et le bouquet ; selon le caractère de l'ouvrage, on peut mettre cet endroit en valeur ou bien créer une transition graduelle entre les deux éléments par une composition rythmée ou libre.

Des bouquets couchés ou suspendus

Ces deux types de bouquets dépendent des tendances végétatives des plantes et des fleurs. On ne peut pas nouer des formes en cascade ou des formes retombantes avec des tiges fortes, rigides et droites. On peut, certes, travailler avec du fil de fer, courber et modeler, mais cela demande beaucoup de temps et de matériel pour aboutir à une gerbe qui, en fin de compte, n'atteint pas la position et la souplesse naturelles qui s'expriment dans des mouvements enjoués (voir aussi page 92). Les bouquets couchés peuvent avoir des formes très variées :

- Descendant en cascade d'un seul côté, avec ou sans accent mis sur le point focal ou les tiges.
- Au repos, dans toute son abondance, sans tendance à pencher, avec ou sans accent mis sur les tiges.
- Formes unilatérales, minces ou plus épaisses, qui se densifient par des mouvements tournants, sans que l'accent soit mis sur les tiges.
- Répartition contrastée qui donne un côté considérablement plus long, juxtaposé à un deuxième côté plus court.
- Lignes différentes formées par l'axe du bouquet.

On commence alors à travailler par la pointe du bouquet, mais pas forcément en prenant les tiges les plus longues. Il est important d'utiliser d'emblée des tiges provenant de parties vertes, de fleurs ou de rameaux qui ont un bon angle d'inclinaison, ni trop aigu, ni trop obtus. En choisissant un angle trop aigu, on risque d'obtenir une gerbe qui devient vite rigide, plate et sans structure ni mouvement internes. En choisissant une disposition trop molle et trop penchée, on n'arrive plus, par la suite, à y associer des tiges plus droites, et cela donne deux parties très différentes sur le plan visuel qui ne forment pas vraiment un tout.

Dans le cas des gerbes couchées, il faut, malgré l'expression du repos, créer de la légèreté. Elle peut être obtenue par des espaces vides qui naissent grâce à des pédoncules ramifiés, le déplacement vers le bas de formes secondaires ou l'interpénétration aérée du bouquet par des matérieuax adéquats.

Si l'on veut que les pédoncules restent visibles – ce qui serait logique et aussi harmonieux – ils doivent avoir un tracé organique par rapport au faisceau

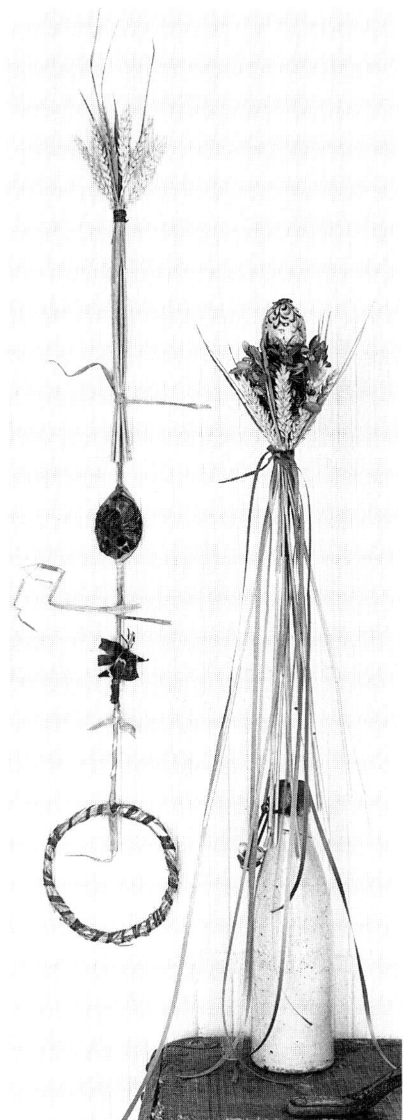

Un bouquet monté sur un tuteur. Le bâton, l'oval et d'autres formes sont les éléments de base pour des arrangements divers et variés. La façon de travailler et le rythme de travail résultent des torsions, des mouvements qui enveloppent et qui tournent. Toutes sortes de matériaux simples sont suffisantes, puisque le caractère artisanal du travail est, ici, dominant.

*Un bouquet couché aplati, légèrement retombant (à gauche). Des fleurs qui ont des mouvements doux et souples comme les tulipes, le genêt en fleur, le jasmin, des vrilles d'*Akebia *et de* Lamium *et du laurier-cerise créent cette forme presque par elles-mêmes. Il faut tenir compte de la profondeur du bouquet pour arriver à une forme aérée.*

Un bouquet couché ayant du volume (à droite). Il existe parfois des lys qui ont des tiges très élastiques, voire molles, de même que des tulipes, des renoncules etc. On en peut faire des bouquets d'une grande valeur décorative. Pour cela, on n'a pas besoin d'ustensiles quelconques ; la forme naît tout naturellement à partir du caractère et du port des fleurs qui penchent.

entier, en étant en spirale, pas trop écartés. Pour des raisons optiques, l'endroit où se fait le lien ne doit pas être trop mince.

En rajoutant du ruban, des boucles de raphia, de la corde, des bouts de tissu, des touffes d'herbe etc..., on attire le regard à des endroits précis. Dans l'ensemble, le bouquet présente des contours agréables et doux, aérés ou plus fermes selon les matériaux employés. L'endroit où on tient le bouquet avant la ligature constitue une sorte de « milieu », c'est-à-dire un point d'équilibre qui attire le regard ; il doit être un peu rehaussé pour retomber légèrement vers les tiges. Ce geste de retomber et de tourner autour avec légèreté n'est pas à sa place pour des types de bouquets qui tournent seulement à l'endroit où ils sont noués.

Les bouquets suspendus, tout comme les bouquets couchés, doivent aussi pour l'essentiel être noués à partir de végétaux qui ont déjà de par leur nature un caractère « retombant » et « fluide ». Dans ce cas-là, il peut être nécessaire de tiger ou de soutenir l'un ou l'autre pédoncule qui peut se briser, pas davantage. Qu'il s'agisse de bouquets asymétriques, symétriques ou ronds, la méthode reste la même. Lorsque on travaille sur une forme couchée, on peut commencer par des parties longues ; en revanche, celles qui sont les plus longues et les plus décoratives, seront ajoutées plus tard, pour qu'on puisse les placer sur ou entre d'autres tiges. Pour garder un caractère aéré, les parties végétales plus fermes ou plus ramifiées sont à maintenir dans le bas du bouquet. Les espaces vides qui naissent ainsi, donnent l'occasion à des tiges plus légères de se déployer plus librement. La partie médiane sera accordée en rapport avec la forme entière ; elle doit être assez plate, équilibrée, un peu rehaussée ou brisée. L'impression globale du bouquet paraît homogène quand il y a un équilibre et une transition harmonieuse entre les parties qui retombent et le milieu du bouquet.

Des formes horizontales

Une variation des gerbes mentionnées ci-dessus est le bouquet symétrique qui peut être mince et élégant ou bien au repos. Sa forme ressort le mieux lorsqu'elle n'est pas trop volumineuse ni trop large. Les plus beaux bouquets n'ont pas besoin de soutien ni par du fil de fer, ni par des structures sous-tendues sous forme de rameaux ; il faut alors pouvoir les nouer librement, avec grâce et nonchalance. Un des facteurs déterminants est d'utiliser des plantes et des fleurs qui n'ont pas forcément besoin de tomber comme des vrilles, mais qui doivent être assez souples pour céder à des mouvements et des tendances qui expriment un élan. Un tel bouquet peut être commencé par le milieu, sous forme ovale ou ronde ; on rajoute ensuite des éléments des deux côtés. Or, souvent, on peut percevoir la trace de cette façon de procéder dans le bouquet, et il vaudrait donc mieux commencer un côté par l'extérieur en allant jusqu'au milieu, pour ensuite travailler sur l'autre côté. A la fin, le milieu se forme presque tout seul ; il suffit de bien aménager le rapport entre la hauteur du bouquet, les côtés ainsi que les finitions de la partie médiane vers les deux côtés. On dispose d'abord les tiges en parallèle et continue ensuite en spirale. En faisant cela il faut veiller à ce que la majeure partie des tiges soit assez penchée, car ce n'est que de cette manière qu'on obtient une forme harmonieuse et propre sur le plan artisanal. Des éléments végétaux assez petits, intégrés au fond, rendent le bouquet plus aéré. Des tiges montées dans le

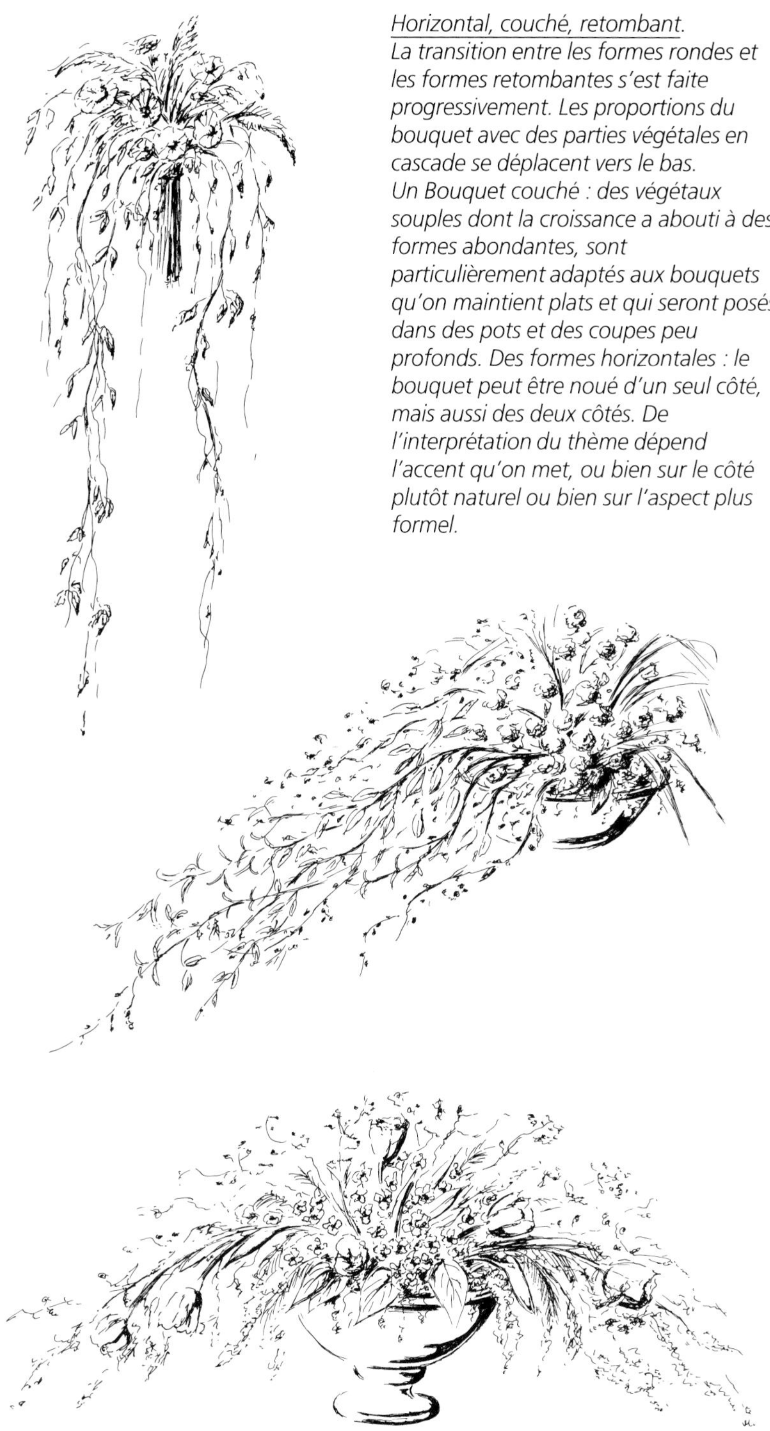

Horizontal, couché, retombant.
La transition entre les formes rondes et les formes retombantes s'est faite progressivement. Les proportions du bouquet avec des parties végétales en cascade se déplacent vers le bas.
Un Bouquet couché : des végétaux souples dont la croissance a abouti à des formes abondantes, sont particulièrement adaptés aux bouquets qu'on maintient plats et qui seront posés dans des pots et des coupes peu profonds. Des formes horizontales : le bouquet peut être noué d'un seul côté, mais aussi des deux côtés. De l'interprétation du thème dépend l'accent qu'on met, ou bien sur le côté plutôt naturel ou bien sur l'aspect plus formel.

Un bouquet d'aspect fluide. Toutes les fleurs, toutes les feuilles et les tous les rameaux répondent, dans la nature, ou par la disposition individuelle, à cet aspect. Le résultat est d'une grande harmonie. Ce bouquet n'a besoin ni de tuteur, ni de fil de fer. Des œillets, des renoncules, du genêt, des rameaux de bouleau, de Asparagus, *de* Littosparum, *de* Eucalyptus, *de* Calocephalus, *de* Enonymus...

sens contraire à la direction de la spirale dérangent la gerbe qui perd ainsi sa valeur esthétique. En possédant une quantité suffisante de tiges et en employant une technique adéquate, on peut faire de sorte que la gerbe tienne correctement sur l'ensemble des tiges dans un récipient.

Conserver et soigner les bouquets

Les soins qu'on apporte aux matériaux et la façon dont on les traite, ont une influence sur la résistance du bouquet. on devrait bien entendu connaître les soins de base prévus pour les fleurs coupées. Il existe de mauvaises habitudes, comme par exemple le fait de laisser trainer sur la table de travail, sans eau, des fleurs prévues pour de futurs bouquets ou bien de défaire à toute vitesse des bottes de végétaux qu'on n'a pas encore commencé à préparer ; il convient d'éviter tout cela, même quand on est très pressé.

Des parties végétales bien saturées d'eau ont certainement l'avantage d'être bien préparées à l'agitation qui entoure la vente des produits. Elles doivent supporter qu'on les nettoie, qu'on enlève les feuilles et les pousses latérales, qu'on les noue et transporte. A tous ces facteurs perturbateurs, la plante réagit en fin de compte d'une façon négative, même si l'on ne s'en aperçoit pas. On peut d'emblée éviter un certain nombre de dommages en étant conscient de leurs causes : des coupes qui ne sont pas nettes à cause d'un couteau qui ne coupe pas ; le fait d'arracher des pousses latérales au lieu de les séparer soigneusement ; le fait de toucher inutilement des inflorescences fragiles ; des gestes trop brusques lors du rajout de fil de fer (par l'intérieur) qui transperce l'épiderme ; le fait d'endommager et d'aplatir les végétaux en nouant le bouquet.

Le feuillage qui reste attaché au pédoncule, doit offrir un équilibre optique par rapport à la fleur. Mais on doit aussi penser à ce qu'un grand nombre de feuilles entraîne une évaporation accrue, ce qui peut parfois conduire à une capacité d'absorption d'eau insuffisante ; en revanche, une quantité trop réduite au niveau du feuillage peut appauvrir la forme végétale et en plus amener une diminution de l'apport en substances par l'assimilation.

Dans les cas où on aurait coupé les tiges toutes ensemble avec un sécateur tel qu'on l'utilise pour les roses, il faudrait les couper encore une fois en biais, au moment où on termine le bouquet. Si on ne le fait pas, la capacité d'absorption d'eau des végétaux reste réduite, et avec cela la période de leur survie. Parfois, on donne aux tiges un traitement spécial : on peut les inciser, les tremper dans l'eau bouillante ou les exposer à la flamme vive, écraser les tiges etc. ; il va de soi que ces opérations sont à refaire si l'endroit traité a été enlevé. Si les tiges resserrées d'un bouquet ne permettent plus de procéder ainsi, il faut se débrouiller en travaillant avec une allumette, une bougie ou un briquet à la place de l'eau bouillante, ou bien on fend la tige au lieu de l'écraser etc.

Les fleurs qui sont en train de se faner, qui sont fertilisées ou qui ont été endommagées parce qu'on leur a arraché des pousses latérales, développent de l'éthylène. Or cette substance stimule les autres fleurs à la produire également, ce qui signifie que deux ou trois fleurs de ce genre peuvent achever tout un bouquet. Ceci n'est bien entendu pas la seule raison pour laquelle un bouquet qui n'est plus tout frais ne peut pas être « rafraîchi » par quelques fleurs toutes fraîches, mais ce processus est néanmoins important. Dans une chambre réfrigérante d'ailleurs, quand la température est assez basse, la production d'éthylène ne se fait pas.

La résistance limitée de fleurs et de plantes, imposée par la nature, fait partie de leur être, de leur beauté, et doit par conséquent être acceptée. Qu'est-ce qui pourrait être à la fois délicieux, beau et réellement durable ? C'est précisément la floraison et le dépérissement des fleurs au cours des saisons qui fait leur charme. Nous ne réfléchissons pas souvent, en choisissant telle ou telle fleur pour un bouquet, à sa résistance. Mais nous pouvons pourtant veiller à ce que toutes les parties végétales se maintiennent le plus possible de la même manière et se fanent à peu près en même temps.

Par l'usage de conservateurs qui ont fait leur preuve sur le marché, on peut prolonger la vie des plantes. Le moment serait pourtant venu où leurs producteurs devraient pouvoir nous fournir des conservateurs purement biologiques, même s'ils ne sont pas aussi efficaces que les produits chimiques. Ces produits contiennent malheureusement, selon leur composition, plusieurs substances nocives comme le nitrate d'argent, le sulfure d'aluminium, le sulfure et le citrate de l'hydroxide de chinoline, des bactéricides, des réducteurs de croissance et ainsi de suite. C'est pour cela qu'on doit se demander s'il faut absolument utiliser, pour prolonger la durée de vie des fleurs coupées, des substances chimiques qu'on doit jeter avec l'eau du vase.

Mais on peut aussi, sans rajouter d'autres substances, sauvegarder la fraîcheur du produit avant sa vente en le traitant le mieux possible. Il s'agit d'abord de bien couper les fleurs et de les immerger dans l'eau assez profondément, ce qui stabilise la situation. Comme mesure supplémentaire, on peut envelopper des fleurs fragiles dans du papier et on peut aussi tenir compte de certaines particularités en traitant par exemple avec de l'eau bouillante, selon leur texture, des plantes qui contiennent du latex, des tiges ligneuses ou plus dures comme c'est le cas pour les herbes. Des tiges de ce genre doivent en plus être fendues ; des branches qui se fanent vite, doivent être libérées d'une partie de leur écorce puisqu'elle ne peut pas absorber de l'eau. Des fleurs qui ont été cueillies un peu trop tôt ou qui ne sont tout simplement pas robustes, peuvent être conditionnées avec succès lorsqu'on les immerge assez profondément dans de l'eau de 40° à 50° et qui se refroidit lentement. Cela peut s'avérer particulièrement utile pendant les mois d'hiver.

De la même façon qu'on traite les végétaux, il faudrait aussi traiter les récipients, en ce qui concerne leur propreté. L'emballage ne doit pas seulement être présentable, de bonne qualité et maniable, mais il doit aussi contribuer à protéger les végétaux du froid, pendant l'hiver et à les protéger contre une évaporation trop forte pendant l'été. Ce sont là les conditions qui garantissent un transport qui ne nuit pas à la qualité de la plante. Souvent il suffit, contre le froid ou le chaud, d'envelopper la fleur, en plus de l'emballage, dans un papier de soie assez mince. Du papier journal peut aider en cas de gel, et lorsqu'il fait chaud, on peut garder les tiges mouillées ou même les mettre dans des petits récipients remplis d'eau avant de les emballer. C'est pour cela qu'il est avantageux de préparer, pour des trajets plus longs, de petites boites etc. On peut aussi mettre les fleurs, dans des containers spéciaux, mais qui demandent une préparation plus importante, sauf si l'on accepte d'improviser en utilisant des cartons ou des cageots.

Si l'on n'est pas soi-même producteur, on ne peut guère exercer une influence sur le moment où on récolte les fleurs et leur degré de maturité. Dans le cas des producteurs qui se tournent vers l'exportation, on peut constater qu'ils coupent leurs fleurs assez tôt, et il s'agit là de bien les regarder à l'achat. Quand on cumule plusieurs facteurs négatifs comme une récolte prématurée, un mauvais stockage et une réfrigération trop longue, le meilleur traitement ne peut rééquilibrer ces facteurs.

Quelques exemples concernant la maturité au moment de la coupe

Dans le cas des composées, les deux premiers rangs des inflorescences de la périphérie devraient être ouverts.

Pour les fleurs en grappes et les panicules du pied-d'alouette, d'*Eremurus*, de la gueule-de-loup etc., entre 10 % et 25 % de leurs fleurs devraient être ouvertes.

En ce qui concerne les tulipes, les narcisses, les anémones et les roses, elles devraient être bourgeonnantes tout en ayant de la couleur.

Les pivoines ne doivent pas présenter des boutons durs, mais ceux-ci doivent être mous au toucher et céder sous la pression.

Les lys doivent être bourgeonnants, avoir de la couleur, et le premier bourgeon doit être ouvert.

Des ombellifères comme l'aneth ou le cerfeuil peuvent être largement ou entièrement en fleur, de même que certaines composées et des fleurs provenant d'autres familles, comme par exemple *Achillea*, *Gypsophila*, *Alchemilla*, les euphorbes et d'autres.

Les points les plus importants en quelques mots

Couper en biais avec un couteau aiguisé.

Réduire le cas échéant la masse de feuillage.

Traiter brièvement à l'eau bouillante des plantes contenant du latex, les vivaces ainsi que des plantes à tiges dures, selon leur consistance.

Inciser ou fendre au bout de la tige des roses de Noël, des cyclamens et d'autres fleurs qui se fanent vite.

Ecraser ou fendre des tiges ligneuses, enlever le cas échéant un bout d'écorce.

Conditionner les fleurs en les mettant dans l'eau profondément, utiliser de l'eau chaude pour des fleurs fragiles ou peu épanouies.

Surveiller étroitement la propreté des récipients.

Après avoir noué un bouquet, couper toutes les tiges en biais. Le client doit voir ce geste ou bien il faut attirer son attention là-dessus sous une forme ou une autre.

Bien observer le degré de maturité des parties végétales au moment de la coupe.

Les différentes formes de bouquets et leurs traits caractéristiques

Les différents types de bouquets subissent des mutations et des changements constants qui sont dus à un grand nombre d'influences : des circonstances et des façons de faire tout à fait pratiques, des modes liées à une époque, des aménagements d'intérieurs ainsi que l'ensemble des plantes disponibles. Dans la plupart des cas, le nom d'une forme ainsi que les traits qui déterminent son caractère, ne peuvent être fixés et expliqués qu'au moment où la forme existe. On commence souvent par la pratique, en poursuivant un certain nombre de pistes et en faisant des expériences, et c'est par la suite, qu'on formule des principes et des explications. La théorie et la pratique peuvent être complémentaires. Elles fournissent toutes les deux matière à réflexion, elles permettent de voir plus loin et d'établir des relations substantielles et formelles avec d'autres domaines.

Dans les paragraphes qui suivent, nous allons commenter différents types de bouquets tout en étant conscient des limites, des transitions et aussi des points de vue qui peuvent être sujets à des variations. Des schémas et des typologies aident à apprendre et à reconnaître, mais on évitera les généralisations abusives qui risqueraient de figer les plantes et les fleurs.

Dans tous les cas, on devrait être conscient de deux gestes à distinguer : d'un côté, la croissance des plantes, de l'autre, la forme fixe, construite. Si l'on veut partir de la forme, si l'on donne de l'importance à une construction ou à un dessin précis, il faut alors subordonner les moyens de composition, les fleurs et tous les autres matériaux à ce projet. Si en revanche on choisit la plante, la fleur, comme point de départ, toutes les intentions et toutes les ébauches de la composition doivent s'orienter vers l'expression, le caractère et la nature des plantes.

Des formes proches de la nature

Des points de vues très divers peuvent être à l'origine des types de bouquets proches de la nature. Le point commun de tous ces bouquets, réside pourtant dans le fait que les matériaux sont

Un bouquet naturel composé de fleurs nobles (à gauche). Les Eucharis ont besoin d'un espace libre pour leurs fleurs et de l'attention accordée à leur port gracieux.

Un bouquet naturel composé de « fleurs sauvages » (à droite). On peut aussi ressentir l'aspect quantitatif de certaines plantes comme naturel, surtout si les parties végétales, venant de milieux apparentés, peuvent s'exprimer d'une façon impulsive.

Des fleurs simples et naturelles (à gauche). Dans ce bouquet composé de fleurs et de feuilles, rien n'est enjolivé, réduit ou mis en scène. Les plantes restent telles quelles.

Des fleurs du jardin (à droite). Elles peuvent créer une ambiance légère et gracieuse : du pavot vivace des marguerites et des centaurées avec des graminées, du feuillage et des rameaux.

maniés aussi naturellement que possible. Au fond, le bouquet, même sous une forme naturelle est étranger à la nature.

La nature ne crée pas d'images qui suggèrent des bouquets. C'est l'homme qui, dans ses activités les plus simples comme la cueillette, rassembler et de former une botte, fait naître qui ressemblent à des « formes de bouquets ». D'autres travaux semblent plus proches de la végétation environnante et de la nature : les plantations, les coupes de repiquage, les formes libres. D'emblée, le bouquet est, plus que ces formes-là une synthèse entre la nature, les formes naturelles et l'activité humaine.

La première exigence à formuler en ce qui concerne le bouquet naturel et expansif, est le respect de la croissance qui engendre la forme et le mouvement. A première vue, cela pourrait paraître comme une limitation des possibilités. Cela est peut-être le cas lorsqu'on pense d'une manière traditionnelle. Mais si l'on considère les plantes comme des individualités qui chacune a sa propre nature qu'on peut faire ressortir, l'idée d'une limitation n'est pas juste. Perçues d'une façon subtile, les plantes et les fleurs possèdent un potentiel qui permet d'accentuer et d'affiner leur expression et leurs différentes qualités. Le mouvement d'une plante, par exemple, il s'agit non seulement de savoir l'utiliser, mais aussi de reconnaître la force – réelle ou apparente – qu'il possède. L'essentiel n'est pas de nouer le bouquet d'après sa forme naturelle, mais de ressentir soi-même ses tendances naturelles, de les rendre visibles et, le cas échéant, de les faire ressortir davantage.

On n'utilise pas une forme prédéterminée par la pensée en composant des bouquets proches de la nature, mais on les crée à partir d'images vues dans la nature. Un bouquet naturel n'est pas forcément sauvage et chaotique, la nature ne l'est pas non plus. Une prairie sèche fait parti de la nature autant qu'un tapis de muguets, qu'un buisson de roses ou qu'un plant vivace d' œillets. Les bouquets peuvent s'inspirer d'un type de paysage, mais aussi de la personnalité isolée d'une plante ou de la transposition d'une image vue dans la nature.

Les formes et les mouvements déterminent l'expression du bouquet, mais nous devons être au clair sur notre point de vue et notre façon de les définir. L'activité personnelle ne doit cependant pas créer une contradiction entre le caractère d'une plante que nous interprétons, et ce qui est là objectivement.

Ainsi il n'est pas possible, par exemple, de placer une tulipe le bas d'une gerbe. Elle doit pouvoir garder sa tige et son mouvement élancé. Or certaines tulipes, notamment les espèces sauvages et celles qui leur sont apparentées, possèdent des tiges et des fleurs très menues qui sont souvent nichées très bas entre les feuilles ; d'autres sont longues, souples ou rigides. Les traits caractéristiques respectifs mènent à des résultats très différents selon l'importance qu'on accorde à chacun. Mais il est impossible d'obtenir un résultat harmonieux en négligeant une expression caractéristique essentielle.

La combinaison des différentes plantes découle des traits particuliers des individualités florales, des représentations liées aux saisons et des relations qui proviennent de leur environnement. Les individualités des fleurs peuvent être interprétées grâce au système de classification ou bien par des pratiques et des facultés personnelles. Les saisons ne peuvent être ni délimitées avec précision ni d'une façon rigoureuse. Les importations, les cultures sous serre ou de plein champ raccourcissent, prolongent ou décalent le moment de la floraison principale et naturelle. Il faut alors développer un sens, pour des combinaisons et des constellations harmonieuses, qui permet d'éviter un maniement trop artificiel de la floraison. Cela vaut aussi pour l'environnement qui ne doit être autre chose qu'un guide. On ne doit ni imiter, ni piller, ni trop accentuer les formes sociales des plantes. Souvent, il suffit de se représenter que les plantes pourraient « pousser ensemble » de telle ou telle manière, ce qui suppose des connaissances botaniques suffisantes.

Des bouquets naturels peuvent se présenter de multiples façons. Un des traits caractéristiques essentiels résulte d'une asymétrie plus ou moins prononcée.

Des images naturelles impressionnantes peuvent ainsi naître grâce à des fleurs groupées ou qui se développent librement, dans un élan généreux, en se densifiant et s'écartant, apparemment au hasard. Mais on compte aussi parmi ces bouquets ceux qui sont très simples et modestes, dans lesquels quelques fleurs seulement sont arrangées sans qu'on recherche un effet particulier. A l'endroit où ces bouquets sont noués, on ne trouve pas d'accentuations décoratives qui attirent le regard, ni de mouvements superposés ; on suit ainsi le port naturel des plantes.

Des bouquets avec des fleurs en bottes peuvent garder un aspect naturel sans qu'ils aient l'air d'être construits. Les bottes de fleurs sont sans contrainte, comme si une brassée de fleurs s'arrangeait d'elle-même, tout naturellement.

Des formes et des mouvements végétaux particuliers peuvent être pris comme thèmes pour ce type de gerbes. Des enchevêtrements végétaux et des pédoncules qui décrivent des mouvements doux et amples, font naître des gerbes couchées gracieuses, à ne pas confondre avec des bouquets construits à caractère décoratif. Des parties qui s'interpénètrent et se superposent représentent des images de croissance qui montrent l'harmonie des différentes tendances naturelles et des différents caractères végétaux. De tels bouquets ne sont pas fondés sur une répartition symétrique, vu que le point de départ est souvent l'expression très particulière d'une plante ou la domination de mouvements spécifiques. Des caractères végétaux qui dégagent une telle force, ne supportent pas qu'on leur impose un schéma décoratif. Il est vrai qu'un certain équilibre optique est nécessaire pour aboutir à une unité contrastée, mais celle-ci n'est jamais le fruit d'une symétrie pure. De telles proportions de l'espace sont plutôt intéressantes et contrastées qu'homogènes ou unilatérales.

Pour ces bouquets, les possibilités d'évoquer des ambiances à travers certaines fleurs, sont grandes. La grâce et la modestie de l'ancolie, par exemple, reste intacte dans une gerbe aérée et gracieuse qui emploie d'autres petites formes dans un ordre naturel. Un bouquet rond et volumineux par contre, à qui l'ancolie ne sert qu'en tant que de touche de couleur ou de forme décorative détruit cette expression spécifique. Vues sous cet angle, beaucoup de fleurs ont plusieurs visages qui montrent, tantôt leur côté « extérieur », « objectif », tantôt leur nature « intérieure ». Pour obtenir l'ambiance émouvante qu'une fleur est capable de créer, on doit tenir compte de ces deux aspects qui forment ensemble sa personnalité.

Des bouquets, proches de la nature, ont besoin de fleurs naturelles qui font ressortir leurs qualités, leur élan, leur caractère et leur relief. Plus une fleur est raffinée cultivée (ou trop cultivée !), plus il est difficile de l'utiliser pour une composition naturelle.

Mais puisque chaque plante cultivée possède une origine et une forme naturelle originelle, on peut, si elle est connue, l'utiliser comme une aide et une orientation. Il suffit d'avoir vu un talus plein de *Lilium longiflorum* ou bien un buisson retombant parsemé de chrysanthèmes, et voilà qu'on trouve une idée qui permet de redonner aux fleurs le caractère qu'elles ont perdu par la culture. D'autre part, c'est seulement grâce au travail du jardinier, que beaucoup de plantes ont acquis une valeur comme fleur coupée, surtout dans le domaine des plantes annuelles et bisannuelles ainsi que pour les vivaces de plein champ. Mais dans ce cas-là, les transformations de la personnalité ne sont pas aussi nettement visibles que chez des fleurs coupées standard.

Des formes décoratives

Le concept « décoratif » utilisé dans un domaine précis, semble toujours ambigu. Le mot est certainement clair, mais dans le langage professionnel, il est défini d'une façon unilatérale. Par « décoratif », on peut entendre tout ce qui est peu exigeant, facile à appréhender, tout ce qui est exprimé uniquement par des silhouettes géométriques et des dispositions symétriques. Il se peut en effet que beaucoup de choses se limitent à des contours remplis, de simples schémas qui réduisent les possibilités des ouvrages et des matériaux. Mais les plantes et les fleurs ne deviendront jamais de simples objets, même si on le leur demande. Si elles sont cantonnées dans le rôle d'un support de couleurs ou d'un simple objet, elles continuent néanmoins à posséder des restes de leur vivacité originelle, qui, dans ce genre d'ouvrage, apparaît désagréablement comme un facteur de perturbation, comme une petite dissonance qu'on ne peut pas faire disparaître.

D'autre part, il peut y avoir des gerbes d'un effet extraordinaire, si le côté décoratif n'est pas réduit à un schéma trop évident, si l'on trouve, comme base de l'ouvrage, un sens pour l'expression individuelle des végétaux, des combinaisons matérielles particulières ou d'autres relations.

Le mot « décoration », en général, désigne tout ce qui est ornement et embellissement. Un bouquet naturel peut être une décoration, une plantation naturelle, peut servir d'ornement. Si, dans le magasin, un client montre un

Un bouquet rond et décoratif composé de fleurs d'été. Le caractère des fleurs annuelles est sobre et simple ; elles créent l'impression naturelle de plate-bandes où les fleurs poussent pêle-mêle. Godetia, Calendula, Salvia coccinea, Chrysanthemum carinatum, *des centaurées,* Clarkia, Phlox drummondi, *du feuillage de* Beta vulgaris.

Des Frittilaires et des lys (côté droit). *Même des fleurs très expressives comme celles des fritillaires, des tulipes perroquet et des lys gardent leur personnalité dans des gerbes décoratives, influencées par la mode « rétro » où se déploient leurs splendeurs. Elles peuvent facilement déterminer un tel bouquet sans perdre leur classe.*

arrangement naturel en le désignant comme « cette coupe décorative de fleurs », on ne lui dira certainement pas qu'il se trompe et qu'il ne s'agit pas d'un ouvrage décoratif, mais naturel.

Ce n'est que dans le langage professionnel que « décoratif » désigne l'absence du principe naturel. Chez les fleuristes, on associe souvent au concept « décoratif » quelque chose de négatif, c'est-à-dire de « purement décoratif », sans substance, d'une beauté superficielle, et souvent abondant et volumineux. Un tel point de vue unilatéral passe à côté de ce que l'aspect décoratif peut apporter : un ouvrage abondant n'est pas forcément décoratif et ce qui est décoratif n'est pas forcément sans substance.

Le principe décoratif n'accorde pas une grande importance à l'ordre naturel. Mais en disant ceci, il ne faut pas oublier qu'il s'agit là d'ouvrages composés de matériaux vivants, qui ne sont pas de la matière inerte qui reçoit sa forme par l'activité du sculpteur. Cela veut dire que les plantes et les fleurs doivent garder leur éclat naturel, même si elles ne sont pas arrangées en suivant leurs tendances naturelle. Autant on peut affiner et élargir le principe de composition naturelle, autant on peut le faire dans le domaine décoratif.

Beaucoup de cultures florales s'éloignent de la forme sauvage en ce qui concerne le port, la taille, la couleur et la stabilité du tissu végétal. Par ce biais, elles favorisent la composition décorative. Leurs traits caractéristiques sont l'absence de groupe à croissance spontanée, le peu d'importance qu'on accorde aux mouvements de croissance et l'accent qui est mis sur la tenue et la forme ; tout se résume en une tendance contraire au principe naturel. On y rencontre des lignes fermes ou aérées, mais qui ne se déploient jamais aussi librement que dans une croissance libre. Leur disposition tend au volume, elle est parfois compacte. Comme les ouvrages linéaires n'obéissent pas d'emblée, sur le plan de la composition, au principe naturel, les principes décoratifs constituent facilement une base pour des formes à structure rectiligne.

L'aspect décoratif va souvent de pair avec l'ordre symétrique, mais des formes asymétriques sont aussi possibles.

De par son maintien, son maniement, sa forme, ses contours et sa couleur, le bouquet est très proche du principe décoratif – il en est quasiment l'expression. Beaucoup de types de bouquets sont nés avec le fil du temps, en suivant les changements de modes et d'habitudes : le bouquet en forme de pyramide, le bouquet rond, le bouquet Pompadour, le bouquet Biedermeier, les « Posies »,* ainsi que toutes sortes de

* Le mot anglais « posy » veut tout simplement dire « petit bouquet (de fleurs) » (N.d.T.)

De gauche à droite :
Un bouquet rond. Des fleurs de petit format et des feuilles qui n'ont pas de tendances dominantes trop prononcées, sont les meilleures pour ce genre de bouquets. Ainsi elles peuvent garder une trace de leur charme naturel.

Un bouquet décoratif, accentué des deux côtés. Ses caractéristiques les plus prononcées sont l'assemblage des petites parties végétales, la disposition des surfaces des feuilles et l'introduction de lignes supplémentaires.

Un bouquet décoratif ; la forme retombante. Toutes les fleurs et les autres parties végétales se plient à un concept préalable. Même les lys prestigieux y trouvent leur compte, peut-être parce que tout le reste s'efface devant eux.

gerbes aux formes rondes ayant des silhouettes en forme de dôme, d'ovale allongé, de cône, de demi-sphère ou celles qui sont aplaties ou fermées ; elles peuvent avoir des surfaces fermées, groupées ou à plusieurs étages. On y trouve aussi le soi-disant art floral formaliste – non seulement dans sa version traditionnelle – des arrangements plutôt géométriques et ainsi de suite.

Un bouquet qui part d'une forme précise, élaborée par la pensée, exige que toutes les parties végétales se plient à une telle forme. Dans le cas du bouquet naturel, par contre, les plantes déterminent et créent la forme qui est, chaque fois, soumise à des variations de son caractère et de sa forme. La composition décorative exige que les mouvements, les lignes et les contours des plantes s'adaptent à la forme respective qu'on a choisie pour la gerbe. Leur choix est donc déterminé par la forme. Cela est aussi vrai pour la forme et les silhouettes des fleurs. La tenue, les mouvements et tous les traits caractéristiques vont être employés en fonction du type de bouquet.

Plus une partie végétale rencontre une telle intention, plus il est facile d'arriver à un résultat optimal. Plus les fleurs utilisées sont « récalcitrantes », plus l'harmonie, de toutes les parties, devient difficile. Cela peut être le cas pour des formats des fleurs (par exemple, de grandes fleurs), le caractère de l'inflorescence (par exemple, des fleurs isolées exigeant beaucoup de place), ou bien les mouvements et les directions (par exemple des lignes ascendantes, bizarres, qui sortent de l'ordinaire). Il est pourtant possible, en principe, d'intégrer de telles parties végétales dans des ouvrages décoratifs, si l'on possède une faculté de perception particulièrement aiguë pour le potentiel expressif et les modalités du matériau. Car il n'existe pas de principe selon lequel une fleur devrait être employée, conforme à sa valeur, dans un ouvrage naturel, mais non pas dans une composition décorative.

Le côté « ornement » est une composante importante des formes décoratives. Cette idée se doit donc d'être présente ; le bouquet doit être une parure pour un événement ou pour un endroit précis.

Cela peut aller jusqu'à des bouquets d'ornement, où les parties végétales ne sont certes pas arrangées exprès pour former une nouvelle forme plastique (comme une sphère ou un cône), mais où elles sont néanmoins altérées dans leur forme. Ici on perçoit clairement le danger d'un excès de raffinement et d'une certaine décadence ; à telle ou telle époque, tantôt on cède à cette tendance, tantôt on la refuse.

A la différence des bouquets naturels qui doivent toujours être créés à partir du végétal, les formes décoratives peuvent être conçues et fixées préalablement, par exemple en se servant de volumes géométriques comme modè-

les. Par ce biais, on arrive à des ébauches diverses et variées de formes verticale, conique, cylindrique, pyramidale ou ronde, dans des variations aplaties en allant jusqu'à la forme du dôme. On peut modifier sans cesse la forme de base de ces gerbes par des changements de proportions. A cela s'ajoutent toutes sortes d'ébauches d'après la nature, comme, par exemple, des formes qui rappellent des boutons de fleurs, des fruits ou des feuilles qui fournissent le modèle des silhouettes. On compte parmi ces gerbes celles qui sont asymétriques, couchées ou retombantes, dans la mesure où elles n'appartiennent pas, de par leurs matériaux ou par leur mouvement de croissance précis, aux gerbes libres et naturelles. Or toutes ces formes ne sont convaincantes qu'au moment où les contours et les mouvements des végétaux s'adaptent sans problème aux types respectifs. Cette exigence limite d'emblée le choix des plantes aux fleurs relativement petites dont le port est plus proche des formes en bouquet que des caractères solitaires. Parmi les plantes qu'on aurait tendance à utiliser pour ce genre de bouquets, se trouvent quelques fleurs prestigieuses qui pourraient s'y prêter particulièrement. Mais les pivoines, le pavot, les chrysanthèmes à grandes fleurs, les hortensia et d'autres fleurs comparables, ont besoin, pour développer leur présence harmonieuse, d'une plus grande liberté que celle qui peut être accordée par des contours stricts. Ces formes florales qui sont capricieuses, mais légères malgré leur volume, ont besoin de leurs tiges et de leur élan naturel. Elles correspondent mieux à des gerbes libres et souples qui possèdent un équilibre sans être rigoureusement symétriques.

La composition linéaire

Les traits caractéristiques du graphisme ne sont pas en contradiction avec la nature des plantes bien que celles-ci soient, de par leur dynamisme volumineux, plus physiques et plus pittoresques que ce qui peut s'exprimer dans le principe linéaire. Parmi les nombreuses manifestations du végétal, il y en a qui portent un caractère particulièrement linéaire. Des parties végétales comme des tiges porteuses de fruits, des pousses, la disposition des feuilles etc. sont souvent moins attrayants que la plante entière. Dans certaines familles

Un bouquet symétrique au profil régulier (à gauche). La disposition symétrique exige qu'aucune des fleurs et qu'aucune parties végétales ne s'en écarte ; dans le cadre de la forme recherchée, elles devraient pourtant apparaître ausi naturelles que possible.

Un bouquet couché (à droite). Ici, le mode de composition décoratif laisse aux plantes et aux fleurs un espace de liberté un peu plus important : quelques-unes évoluent librement, folâtres entre les formes strictement rangées.

Des contours et des surfaces nets (page de droite). Ils sont contrecarrés par des plantes qui produisent un effet linéaire. Une disposition bien centrée renforce l'expression du bouquet, composé consciemment d'une façon stricte et statique. Fleur de bananier, Curcuma, *feuille d'*Anthurium, Quercus pontica, *etc.*

de plantes, nous trouvons une morphologie rectiligne très prononcée, en particulier chez les graminées et, entre autres, chez les liliacées et d'autres monocotylédons, ainsi que chez la plupart des branchages présentent ce caractère linéaire, surtout quant ils n'ont pas de feuillage.

Pour mettre en valeur ces qualités spécifiques, il faut les regarder et les représenter à part, car une plante n'a que rarement un seul facteur caractéristique. Elle peut, par exemple, se présenter sous une forme linéaire, dynamique et bruissante (le bambou) ou bien linéaire, abondante et volumineuse (*Dracaena*). Tout dépend du trait caractéristique qu'on voudrait isoler de la manifestation globale. Normalement, on associe à la représentation de ce qui est « linéaire » les concepts de graphisme, d'échafaudages, de structures, certaines constructions etc..., et on pense moins à des plantes et à des fleurs. Des rameaux et des branches sans feuillage forment là une certaine exception puisque leur tendance naturelle est avant tout linéaire.

La composition linéaire n'est pas forcément spartiate, sévère et aride, bien qu'on établisse volontiers le contraste entre mince et graphique d'un côté et volumineux et massif de l'autre. Cela réduirait la ligne à sa plus simple expression. Or elle représente plus et a une « performance » plus importante.

On ne doit pas tout de suite arriver à la conclusion qu'elle a besoin du volume, de la forme plus ou moins fermée comme contrepoids.

Quand la ligne organique décrit un mouvement qui n'est pas monotone, elle peut produire un effet toute seule. Si par contre, elle n'a qu'un élan simple ou des inclinaisons moins frappantes, il est plus attrayant d'en prendre plusieurs pour les mettre en relation. Que ce soit une ligne ou plusieurs, l'impression générale devrait dégager une qualité géométrique et esthétique. Selon la

De gauche à droite :
Un jeu de lignes tendres et fragiles. Dans un bouquet à la grâce naturelle, chaque partie végétale posséde une valeur linéaire et contribue à l'effet global : de Astrantia, *du saule, de l'herbe, etc.*

Une construction. Des lignes verticales, rectilignes et courbes sont reliées et brisées par des diagonales. Arum, Liatris, *du bambou,* Lonicera, *des fétus de paille.*

De la prêle. Cette plante possède déjà à elle seule un effet linéaire impressionnant qui peut être interprété de différentes façons. Ici il s'agit de bottes élancées debout ; elles sont animées par leur propre mouvement et l'emploi d'un lys.

Du cornus alba. Ce sont surtout les branches sans feuilles qui ont un effet graphique. Les branches de Cornus, *même isolées, font preuve de dynamisme. Des bottes de paille bleues soutiennent l'élan des lignes rouges.*

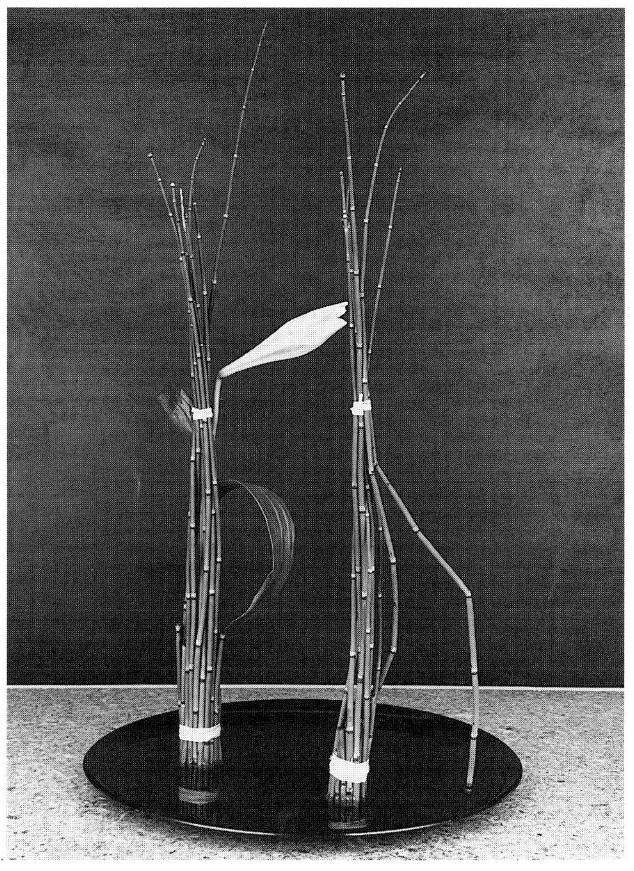

disposition et le caractère des lignes végétales, il faut pour cela dans certains cas, des formes calmes et centrées. Mais il peut y avoir aussi des lignes capricieuses, inattendues ou brisées. On peut même en trouver qui ont des aspects plus ou moins fermées et qui décrivent alors un mouvement d'expansion dans l'espace.

Le potentiel d'expression très varié permet une multitude d'ouvrages graphiques : des tiges parallèles avec un point de ligature à différents niveaux, une harmonie très dépouillée entre quelques tendances linéaires végétales, la mise en valeur de tracés insolites, comme par exemple, une croissance brisée, courbée et enchevêtrée avec des lignes relativement fermés etc...

Un bouquet, aux lignes tendues, est déterminé par les lignes organiques qu'on fait ressortir. Elles constituent les tracés de base qui représentent un caractère différent suivant leur nature active ou plutôt passive. Plus une ligne décrit un tracé expressif, plus on lui permettra de poursuivre ce tracé librement et sans interruption. Plus elle est faible et indifférente, plus on l'utilisera d'une manière subordonnée ou en tant que complément. Des lignes très mouvementées, intéressantes ou agitées peuvent très bien, à elles seules, produire des effets forts et être impulsif. Selon leur flexibilité, on peut les rassembler et les redéployer sans qu'elles perdent leur caractère propre. La nature offre des matériaux attrayants pour procéder à une compression linéaire.

Comme les parties végétales isolées ont toujours une fonction bien précise, ayant des tâches particulières qui dépassent leur aspect physique purement extérieur, nous pouvons attirer l'attention sur des aspects les concernant : la fixation (plantes rampantes et grimpantes), l'élasticité (la plupart des graminées), des structures porteuses (palmiers, branchages). En observant différentes manifestations du graphisme ainsi que leurs fonctions, on peut trouver un grand nombre de projets des gerbes.

Les possibilités que donnent les formes à caractère graphique peuvent être élargies par des combinaisons. Cela veut dire que l'expression linéaire peut être mise en relief, complétée, affaiblie, contrecarrée ou accentuée. Les moyens utilisés se trouvent dans d'autres formations linéaires ou bien dans des formes plutôt volumineuses. A l'intérieur de ces combinaisons, différents points de départ sont possibles. Lorsqu'un bouquet porte un caractère naturel, les lignes organiques et les mouvements doivent se comporter en conséquence ; les fleurs et les feuilles qui ont plus de volume, ne doivent pas être entravées dans leur expression. Plus on considère la forme et le maintien graphique d'un végétal comme un outil linéaire décoratif, plus on s'éloigne de ce qui est naturel. L'élément décoratif domine alors l'ouvrage, et on arrive forcément à des résultats différents si l'on transpose les lignes, les compléments et les contrepoints au niveau formel.

Cet aspect purement formel, qui se trouve au premier plan dans un bouquet, destiné à une fonction décorative, conduit à ce que des fleurs et des parties végétales se figent, d'une manière unilatérale, sans qu'on tienne compte de leur potentiel d'expression spécifique. Les oppositions et les tensions qu'on voudrait alors construire, mènent, dans ce cas-là, à des contrastes purement extérieurs ; ceux-ci perdent encore en vivacité si l'on y introduit un supplément de matériaux secs. Chacun doit décider dans quelle mesure il veut soumettre les fleurs et les parties végétales à une composition formelle et linéaire et dans quelle mesure il les oblige à abandonner leur caractère propre. Comme une délimitation stricte n'est pas toujours facile, il faut être conscient de l'ambivalence. En fin de compte, tout organisme végétal peut être considéré comme une chose, une forme pure, mais aussi, au contraire, comme un phénomène naturel qu'on ne peut pas manipuler et qui est digne de respect.

Une forme stricte. Les iris, par leur croissance statique, favorisent l'aspect linéaire de ce bouquet. Le côté sévère de leur caractère ressort nettement. Les lignes des rameaux et toutes les autres fleurs et feuilles se plient à cette composition formelle. Des iris, des anémones, du forsythia, de la myrte, du gaultheria.

Structures et textures

Le concept de « structure » désigne une construction, une forme cohérente, le lien organique qui détermine une entité. Au même titre qu'un tableau, un morceau de musique ou un bâtiment, une gerbe peut aussi avoir une structure. Ne pas avoir de structure signifie quelque chose de négatif, d'amorphe, sans lignes. On peut donc dire qu'un bouquet, même s'il n'est pas un « bouquet structuré », doit avoir une struc-

Une construction enchevêtrée. De petites fleurs, des feuilles et des fruits poussent à travers l'arrangement des branches qui donne la structure et suggère en même temps le milieu d'origine. Des roses, des églantines, des branches de pruneliers, couvertes de mousse, du feuillage d'ancolie, de Tellima grandiflora, *de* Artemisia vallesiaca, *de la mousse, de* Akebia.

ture s'il doit passer pour un ouvrage de qualité optimale. Le terme de « bouquet structuré », utilisé par les fleuristes, ne désigne qu'un fragment de la réalité qui s'exprime par ce concept, c'est-à-dire la structure qui caractérise la surface des plantes. Cette petite partie du concept global de « structure » ne parle que des possibilités, des effets et des types concernant la surface du bouquet.

Parmi un grand nombre de facteurs, la structure d'une plante est en effet caractérisée par les qualités de sa surface. Cela ne peut de nouveau concerner qu'une partie de la forme, jamais le tout. Les surfaces d'une plante sont, comme sa construction intérieure, attrayantes et variées. Associées à sa couleur et sa forme globale, elles constituent sa personnalité. Le caractère de la surface d'une feuille et d'une fleur est, selon leur environnement et leur rythme de croissance, si différencié, si spécifique et parfois si marqué, qu'on utilise volontiers, pour leur dénomination, des mots qui décrivent leur texture, comme « soyeux », « velouté », « comme du brocart » etc. La plante entière, son feuillage, et particulièrement sa fleur, sont déterminés, dans leur manifestation, par la qualité matérielle, en plus, bien sûr, de sa morphologie et de ses autres caractéristiques.

Pour rendre visible d'une façon vivante des matériaux, des textures en harmonie ou en contraste, il ne suffit pas de simplement juxtaposer différentes quantités de surfaces florales et végétales. Il faut d'abord sentir nettement la texture pour pouvoir la mettre en valeur par la suite.

Les tissus d'une partie végétale, formée de structures cellulaires, sont si différents de par leur composition spécifique et leur fonction, qu'on peut toujours découvrir d'autres aspects et rajouter d'autres points de vue. Si, par exemple, la pensée brune présente réellement un caractère velouté, ce n'est pas seulement dû à sa structure cellulaire, mais aussi à sa couleur. Une pensée bleu clair n'a pas, malgré sa composition identique, le même caractère velouté que la pensée brune. Si maintenant on place côte à côte la pensée bleue et une campanule bleue, la *Campanula persicifolia*, le caractère velouté de la pensée se renforce.

Les textures d'un grand nombre de fleurs et de plantes sont, bien que réelles, pour l'effet qu'elles produisent, dépendantes de leur environnement.

Un petit œillet vivace comme *Dianthus seguieri* possède, pour ses fleurs, une texture qui ressemble a de la porcelaine, ses feuilles ont un caractère qui évoque presque le verre et le métal. Malgré ce fait objectivement ressenti, ces mêmes œillets se transforment, lorsqu'ils poussent dans un environnement naturel avec de petites plantes dans des prairies sèches, en des formes beaucoup plus rugeuses, robustes, voire coriaces, d'une consistance qui rappelle le cuir ; leurs fleurs qui s'épanouissent par-ci par-là ressemblent à de petits bouts de tissu de soie.

Une structure intérieure. Le bouquet doit être transpercé, élargi et délimité de l'intérieur.
En accord avec les mouvements de croissance, l'effet des parties isolées est modulé par rapport au bouquet entier.
Carex, Ophiopogon, Lycopodium, Skimmia, Galax, Helleborus, Viburnum tinus, *des roses polyantha, etc.*

Des surfaces de feuilles. Différentes textures provenant de feuillages forment un contraste : le vert jaune lisse de Salix matsudana *'Tortuosa', le vert moyen velouté de* Alchemilla mollis, *le vert clair, légèrement brillant, de* Catalpa, *le vert de gris argenté, violet et terne de* Galeobdolon, *le vert foncé émeraude moussu de* Chamaecyparis.

Prises isolément, les textures peuvent constituer un thème à part ; en harmonie avec d'autres caractéristiques, il faut les voir comme un complément subtil. On peut les manier d'une façon fine et peut perceptible ; on les employant consciemment, on renforce ou on affaiblit certains effets. Il faut aussi se rendre compte qu'elles peuvent entrer en confrontation avec des intentions de la composition. Etonnamment, certaines fleurs et d'autres végétaux peuvent produire, de par leur présence matérielle, des effets non recherchés, et qui peuvent rendre disharmonieuses, d'une façon subtile, des combinaisons bien calculées et voulues.

Pour un bon nombre d'objets, il est souvent impératif de les toucher afin de percevoir leur texture. Bien que, d'habitude, on ne touche pas les fleurs pour constater leur texture, le toucher joue un grand rôle si l'on veut ressentir leur qualité matérielle. On doit la sentir pour pouvoir la rendre perceptible. Qui n'a pas déjà éprouvé le besoin de toucher la feuille d'une plante inconnue pour reconnaître son caractère, ou bien d'effleurer une fleur pour constater si elle a vraiment, comme on pourrait le croire à première vue, l'épaisseur de la porcelaine. Cette activité qui fait appel au toucher est attrayante, surtout pour se familiariser avec des textures inconnues (voir page 50).

Dans un bouquet, on peut utiliser beaucoup de textures différentes ; il est possible de les délimiter nettement ou bien de les rapprocher. Pour aboutir à une impression harmonieuse, il est néanmoins nécessaire que les fleurs et les feuilles se plient sans problème à l'intention qui anime la composition ; pour cela il ne faut pas qu'elles aient un caractère trop dominant. Souvent, on envisage une ébauche qui occupe une assez grande surface, qui possède un profil et qui va d'une forme basse jusqu'à celle d'un dôme. Une telle gerbe peut être symétrique ou asymétrique. Lorsqu'on arrive à créer une surface intéressante grâce au choix de végétaux contrastés, très variés, mais proches les uns des autres sur le plan botanique, on fait bien de renoncer à un arrangement à plusieurs étages ou à des rajouts comme des enveloppes. Il est pourtant vrai que ces éléments structurants peuvent vivifier et compléter un bouquet ; mais, il est nécessaire de les employer avec discernement, non pas pour leur propre valeur, mais selon des exigences bien précises qui résultent du caractère de la gerbe.

Il existe une autre possibilité, c'est d'utiliser les textures non pas par groupes, par taches ou par motifs, mais en les mélangeant intimement. Cela crée plus de volume et permet d'avoir un espace qui se prête à une disposition souple, à une aération et à la création d'espaces libres pleins de nuances. Cela peut se passer dans le mode de composition naturel ou décoratif. Des aspects intéressants introduits par différentes qualités matérielles peuvent ainsi être mis en relief pour former une nouvelle entité harmonieuse. On peut, par

exemple, créer un contraste entre des textures qui évoquent la soie ou la porcelaine et celles qui sont filiformes et laineuses : *Lilium regale* et le pavot avec *Stachys*, *Artemisia* et *Senecio*. Cela peut être un contraste à la foi stimulant et naturel, car beaucoup de plantes développent leurs fleurs soyeuses à partir de formes étonnamment laineuses et rugueuses.

A côté de ces structures qui concernent la surface, il peut y en avoir d'autres qui déterminent l'expression d'un bouquet. D'autres ouvrages peuvent naître du moment où on entend par structure une construction intérieure, visible ou invisible, ouverte ou cachée. L'ossature, la structure intérieure est alors le motif principal. On trouve alors une structure porteuse à travers laquelle poussent des fleurs et des parties végétales en grimpant et en la tapissant. Des compositions qu'on trouve dans la nature peuvent constituer un point de départ, pour ce genre de bouquets qui incitent à nous intéresser à des gerbes nouées à partir de formes observées dans les haies et d'autres paysages.

Voici des critères importants concernant de tels bouquets structurés : l'interpénétration, les espaces vides, l'assemblage et la densification. Sur la base d'un ordre libre, les parties végétales sont employées selon leurs qualités de croissance et de morphologie. Il est

Un bouquet structuré (tout à gauche). Les pâquerettes et les branches sans feuilles donnent l'impression d'un tableau dans lequel les première fleurs de printemps apparaissent à travers l'arrangement hivernal d'une haie.

Un bouquet entrelacé (à gauche). Le point de départ peut être un tracé vertical qui est entouré d'un enchevêtrement de végétaux grimpants. Cet arrangement naturel peut être un modèle pour un grand nombre de bouquets souples et denses.

Des détails concernant des fruits, des feuilles et des fleurs (en bas). Ils peuvent inciter à nouer des gerbes plutôt originales qui, avec leur façon stylisée et formalisée, ouvrent un domaine plutôt bizarre. Le procédé artisanal doit être à la hauteur du raffinement des ébauches.

nécessaire d'harmoniser, avec précision, les multiples mouvements et tracés pour éviter un déséquilibre chaotique. Il n'est pas toujours facile d'y intégrer les fleurs, parce qu'il y a, dans ce genre de bouquet, beaucoup d'autres éléments forts qui en plus doivent tous se compléter et se correspondre. Il faut donc accorder une attention particulière aux fleurs ; elles devraient apparaître à travers un enchevêtrement souple de branches ou bien montrer leur éclat, à moitié cachées par une feuille, ce qui leur donne un caractère dominant ou tendre, mystérieux et suggestif.

Il ne faut pas reproduire des dispositions naturelles, mais chercher à créer l'impression d'une unité à partir du maintien du végétal, des conditions spatiales, de l'ombre et de la lumière, et tout cela associé dans une gerbe à multiples tendances naturelles et dynamiques.

D'une toute autre manière que chez les bouquets mentionnés plus haut, certaines surfaces avec leurs qualités précises peuvent aussi entrer en ligne de compte en contribuant à l'impression globale. Des structures rugueuses, ligneuses et ternes forment un contraste avec des textures soyeuses, tendres, brillantes ou qui évoquent le brocart. Cependant, les différents qualités matérielles ne sont pas, dans ce cas-là, les caractéristiques principales du bouquet ; ce qui importe toujours est la structure porteuse : l'échafaudage intérieur, le jeu entre l'interpénétration, les espaces vides, la densification et le clairsemé.

Des formes sphériques et drapées

La nature, en général, et les plantes, en particulier, forment de multiples entités dans lesquelles on peut reconnaître les figures des corps géométriques : sphères, rouleaux, fuseaux, disques, ellipses, cylindres etc.

L'immense variété de tous ces corps constitue une source de modèles et d'inspiration dans les arts plastiques, dans l'architecture et dans l'artisanat. Les fleuristes s'y intéressent aussi et les utilisent volontiers comme modèles pour l'art floral formaliste. Le végétal isolé est ici pris pour servir à une forme globale stylisée, mais extraite de la nature. Ce sont surtout les motifs de la boule, du fuseau et de l'éllipse qui sont utilisés pour créer des bouquets. Le caractère d'un volume simple et la précision dans la composition sont les traits principaux de ce genre de bouquet. Ils sont indispensables pour que la forme de base puisse être bien visible. Il s'agit

là principalement d'ouvrages décoratifs et symétriques (voir pages 88 à 92).

Des formes de base plus irrégulières comme des sphères aplaties, des calices, des étuis et des cosses entrent aussi en ligne de compte comme modèles pour des bouquets à caractère asymétrique. De tels bouquets ne connaissent pas un développement libre et ne peuvent jamais avoir un caractère naturel.

Les surfaces et les formes des parties végétales qui constituent le bouquet, jouent un certain rôle. Même si leur forme propre n'est plus du tout visible, on y reconnaît encore les restes de leur morphologie ; et plus leur transformation est frappante, plus l'impression globale est spectaculaire.

Il s'agit donc là, exclusivement, d'un effet construit. On gagne du temps si l'on épingle ce genre d'ouvrage au lieu de le nouer, parce que ce bouquet, il faut préparer chaque partie pour lui donner sa position précise. L'effet que produit un tel bouquet est pourtant beaucoup plus frappant et surprenant qu'une composition non-nouée. Cet effet repose, d'un côté, sur des capacités artisanales, de l'autre sur un développement d'une forme naturelle allant vers une gerbe stylisée, pour enfin aboutir à des ébauches libres et décoratives ; des bouquets en forme de cônes, de piliers et de sphères ; de couches superposées de feuilles et de fruits, d'éléments baroques, de par leur

Une gerbe frêle (à gauche). L'effet de ces petites gerbes, composées d'un tissu de rameaux, de vrilles et herbacés semble impalpable..

Un bouquet sphérique (à droite). Des vrilles longues et minces s'enroulent et s'enchevêtrent pour former une gerbe sphérique.
On aboutit à un effet de profondeur grâce au contraste entre les parties compactes et celles qui sont plus aérées. Toutes les tiges fraîches doivent pouvoir se trouver dans l'eau.

disposition, comme par exemple, des reflets symétriques ou même l'intégration d'articles factices, à effet sentimental.

Une toute autre façon de travailler, avec des volumes naturels, est un mode de composition beaucoup plus libre et qui est moins à la recherche d'effets spectaculaires. A côté des formes végétales comme les fruits, les feuilles et les fleurs, il y a d'autres volumes naturels qui ont un caractère moins figé, arrêté et définitif et qui se développent dans un grand nombre de mouvements continus et de rythmes. Ils sont grimpants, enchevêtrés et en partie retombants ou bien ils décrivent des tracés denses, homogènes et ininterrompus, parmi lesquels on peut distinguer des images diverses et variées selon les tracés plus dynamiques ou plus statiques.

A côté de cela, il y a encore d'autres démarches qui peuvent être déduites des phénomènes de croissance naturelle. De la même façon que les plantes décrivent des mouvements en grimpant, en rampant, et en s'agrippant à des supports, il est attrayant d'en dériver, en harmonie avec elles, toutes sortes d'activités manuelles qu'on rajoute à leur mouvements : envelopper, draper, tresser, lier en botte.

Il en résulte, logiquement, la composition de bouquets qui ont pour thème ces mouvements grimpants, enroulés, rampants, tournants et enveloppants. La forme respective est fortement dépendante de la tendance naturelle du matériau et même en découle. Mais on préférera toujours dans ce cas-là des parties végétales retombantes, arrondies, grimpantes ou capables d'être courbées. On ne choisira pas de plantes qui sont certes élastiques, mais dont la courbure n'est pas organique de par leur morphologie ou leur port. Ainsi il est rare de voir des lignes droites qui peuvent être courbées sans qu'elles se brisent. Elles n'ont pas non plus le dynamisme des plantes grimpantes avec leurs mouvements décoratifs de plus, elles paraissent beaucoup trop strictes pour des lignes optiques qui traversent l'espace.

Pour ces bouquets, le travail artisanal doit être d'autant plus propre et net que leurs structures sont entortillées et nouées. Les tiges doivent rester libres, les élans, les intersections et les parties denses doivent être bien placés. Cela est nécessaire pour des raisons visuelles liées à la composition, pour pouvoir harmoniser le rythme des intersections et le jeu entre les parties plus ou moins denses. Mais il y aussi une autre raison, celle du poids réel : rien ne doit reposer, s'affaisser ou être décalé de façon à créer un déséquilibre. Moins on utilise ici des moyens techniques, plus les résultats s'avèrent impressionnants, au moins la plupart du temps.

On peut obtenir par ces techniques les formes suivantes :

- Des bouquets ronds qui possèdent des interpénétrations.
- Des formes sphériques ou concentriques avec des parties à densité variable, ayant des lignes interrompues.
- Différents bouquets drapés et entortillés.
- Des formes denses avec des parties entrelacées à différents niveaux.

Des formes interrompues

Lorsqu'un bouquet a été noué, d'une façon optimale, sur le plan artisanal autant qu'au niveau de la composition, il est concluant quant à sa forme, son expression et sur le plan technique. On sent alors qu'on ne devrait rien y changer, ni en ajoutant, ni en retranchant quelque chose. Tous les facteurs comme le caractère du matériau, le type de bouquet, la technique artisanale et les coloris sont respectés et forment ainsi un processus de composition cohérent. Par conséquent, les différents éléments de la composition se correspondent et forment un bouquet qui vit grâce à des polarités harmonieuses ou contrastées et qui n'est pas très éloigné des choix et des intentions du départ. Cela est normalement souhaitable et c'est même la base de tout travail correct.

Dans le cas de la forme interrompue, cela se passe autrement : on introduit tout d'un coup dans le processus de la composition, surtout sur le plan formel, une rupture volontaire, un retournement, une dissonance ou bien, pour ce qui reste du développement, un tracé dissonant. On ne poursuit pas le travail jusqu'au bout, selon une logique conventionnelle, mais on y developpe un autre contenu ou une autre forme par le changement dans le processus.

De telles coupures dans un processus de composition, des changements de valeurs et de directions, peuvent être très attrayants.

Cela demande d'emblée un maniement sûr de la mesure ordinaire d'un déroulement normal dans une composition ; il faut aussi ressentir l'endroit où une telle dissonance est intéressante et peut être placée consciemment. Cela ne peut jamais être fait arbitrairement, car la rupture dans la forme, qui est en train de naître, doit alors être conçue en relation avec elle, de sorte que cette rupture puisse, une fois amorcée, se concrétiser d'une manière autonome et logique.

Cette rupture, ce changement ou ce retournement peut avoir lieu pendant le processus de composition et se manifeste à différents niveaux :

- dans le domaine des mouvements
- au niveau des matériaux
- dans la composition des coloris

• au niveau des choix initiaux formels et de composition
• dans le déroulement du travail

Une « forme interrompue » veut dire, qu'au moment où on modifie la suite logique du processus de composition, la « dissonance » tend vers une harmonie qu'elle cherche à atteindre. Les polarités qui naissent à partir de ces structures formelles et substantielles à plusieurs facettes, sont intéressantes, parfois provocantes et donnent la possibilité de trouver des démarches et des effets inhabituels.

Une progression inattendue. Lorsque le développement d'une forme ne se poursuit pas d'une façon logique et conforme à une attente, mais quand il est interrompu et modifié, des images impressionnantes et impulsives peuvent voir le jour.

Les ruptures possibles dans le processus de composition

- Briser des formes homogènes, continues, par des lignes et des intersections.
- Associer à des fleurs cultivées des variétés sauvages.
- Briser des formes ayant une symétrie classique par d'autres qui se développent plus librement.
- Modifier des bouquets noués par des rajouts, par exemple, en y intégrant des parties frêles qui sont composées de rameaux et d'herbes.
- Contrecarrer le choix des plantes par d'autres qui « ne vont pas bien avec », comme par exemple celles qui ont une toute autre origine et qui ne fleurissent pas au même moment.
- Couper le point de ligament de différents bouquets en observant le décalage de la forme qui, à son tour, peut être le point de départ pour de nouvelles gerbes.

Un jeu de proportions. Un bouquet qui présente des proportions en dessous ou au-dessus de la norme, peut recevoir sa valeur exclusivement par ce motif. La présence relativement équilibrée des différentes parties végétales souligne cette intention.

Cosmos, Lonicera henryi, Spiraea, *du feuillage de rosier,* Asparagus officinalis.

La mise en valeur des proportions et des dimensions

Indépendamment des mesures chiffrées, on ne peut déterminer l'effet que produisent la hauteur, la largeur et la longueur d'un objet qu'en rapport avec d'autres mesures comparables. Ce qui joue également un rôle, est le point de vue du spectateur, la distance et la perspective dans laquelle il se place face à un objet. Un autre aspect est la relation qu'ont les objets entre eux.

On peut alors ressentir la hauteur, la largeur et le volume d'un bouquet comme harmonieux ou disharmonieux. Pour constater consciemment ces critères, ou même pour seulement les per-

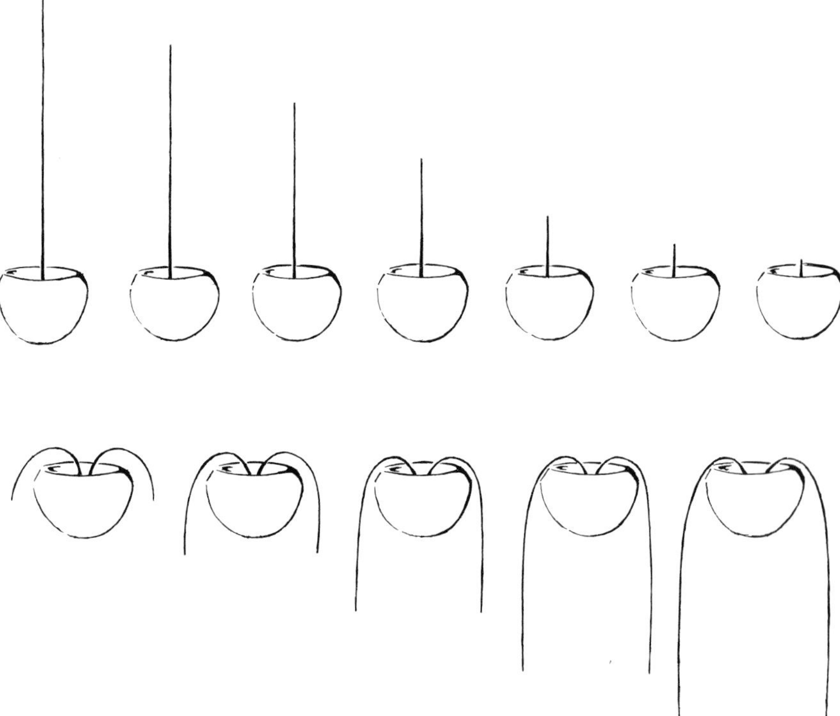

cevoir inconsciemment, ils doivent toujours être en relation avec d'autres valeurs. Sous cet aspect, il y a des relations très diverses entre les mesures et les valeurs, les unes qui concernent la gerbe elle-même, les autres son environnement. Dans beaucoup de cas, le rapport entre la base du bouquet et la longueur du bouquet entier, est important, par ailleurs, celui entre la taille des fleurs et des feuilles et le volume du bouquet. Le rapport entre la largeur et la hauteur du bouquet est également d'une grande importance, ainsi qu'entre le bouquet et son récipient, et enfin l'affinité entre la gerbe et l'environnement dans lequel elle est placée.

Il faut veiller à obtenir de bonnes proportions, autant dans les compositions symétriques qu'asymétriques.

Si, par exemple, un bouquet symétrique est aussi haut que large, si la longueur de ses tiges est identique à sa hauteur, et si le vase a sa longueur, il s'en dégage une impression monotone, lourde et ennuyeuse. Malgré cela, on pourrait facilement atteindre une modification certaine de cet équilibre monotone. Parce qu'il ne s'agit pas, dans ce cas ni de surfaces ni de volumes géométriques. Pour cela, il faut travailler sur les caractéristiques et, en particulier, sur les couleurs des parties végétales, ainsi que sur le volume du récipient. La force d'expression individuelle des fleurs ne sera pourtant pas suffisante pour apporter une compensation intéressante aux relations entre les différentes mesures. Il faut aussi envisager des variations de la hauteur et de la largeur du bouquet, de la base de celui-ci et de son vase.

Dans le cas d'un bouquet asymétrique, on trouve d'emblée des mesures différentes, mais le récipient peut, ici aussi, avoir les mêmes mesures que la gerbe, ce qui amène un affaiblissement considérable de l'effet global.

A côté de la section d'or qui n'est qu'une valeur mathématique, bien d'autres rapports entre les proportions semblent, dans une plus large mesure, porteurs de potentialités intéressantes. Beaucoup de dispositions et de structures dans le règne végétal montrent des proportions qui se comportent selon la section d'or qui, depuis la Grèce Antique, passait pour un idéal des mesures (voir p.31). C'est avant tout dans les arts plastiques que la section d'or a sa place, mais elle n'est jamais devenue une loi incontournable.

A côté de cela, bien d'autres proportions des quantités, des surfaces, des lignes, etc. sont possibles. L'harmonie ne se situe pas au niveau d'une mesure absolue (comme la dimension « A4 » par exemple), mais elle s'exprime par le caractère et la spécificité de la matière et de la forme.

Elle peut se manifester aussi bien lors d'une modification ou d'un certain rééquilibrage des proportions.

Des valeurs et des mesures (longueur et largeur) extraordinairement petites ou grandes sont très attrayantes, et l'harmonie étrange entre un grand nombre de formes naturelles et des proportions très variables, peut être très stimulante. Ainsi une forme végétale de base par exemple une feuille, peut correspondre, dans sa structure, à la section d'or, tandis que le rapport entre la fleur et la tige peut se situer loin de cette valeur, alors qu'un pétale peut être de nouveau la mesure idéale par rapport à l'inflorescence entière.

La symétrie et l'asymétrie qui font partie intégrante du règne végétal, sont à la fois stimulantes, rassurantes et inquiétantes. En réfléchissant bien aux proportions et aux mesures qui peuvent déterminer un ouvrage, on doit quitter les critères simples.

Dans le cas de certains arbustes, les pousses de l'année montrent une crois-

<u>La richesse des tensions</u> (page de gauche). Des proportions qui se situent largement au-dessus ou en-dessous de la section d'or, exercent une forte attraction lorsque l'intention du départ est soutenue par d'autres moyens de composition. Cela peut concerner la forme et le mouvement des parties végétales ainsi que leurs relations mutuelles, mais ausi la forme globale de la gerbe.

<u>Un arrangement dominant</u>. Le pot en céramique est dominant. Un petit bouquet de fleurs y disparaît presque, mais réussit quand même à se maintenir pour jouer une part importante dans l'ensemble de l'arrangement. Viola, Veronica, Enonymus, Artemisia, Cardiospermum.

sance disproportionnée par rapport à la plante entière.

Cet élan dynamique peut être poursuivi et utilisé, dans les proportions données, pour un certain type de bouquet. D'un autre côté, la tige de certaines fleurs est courte, ramassée et garnie d'un nombre d'inflorescences qui se trouvent presque au niveau du sol et qui ne semblent pas être « en harmonie » avec la hauteur de la plante entière.

Des proportions extrêmes provoquent des ambiances particulières et ont plutôt tendance à engendrer des stimulations positives, lorsqu'on les compare avec des proportions équilibrées sans points d'achoppement. L'effet recherché ne se produit pourtant pas, lorsqu'on travaille uniquement sur les rapports entre différentes tailles. Ceux-ci ne peuvent apporter qu'un supplément de caractère et des éléments de tension.

On ne peut ressentir ces éléments qu'au moment où ils apparaissent sous

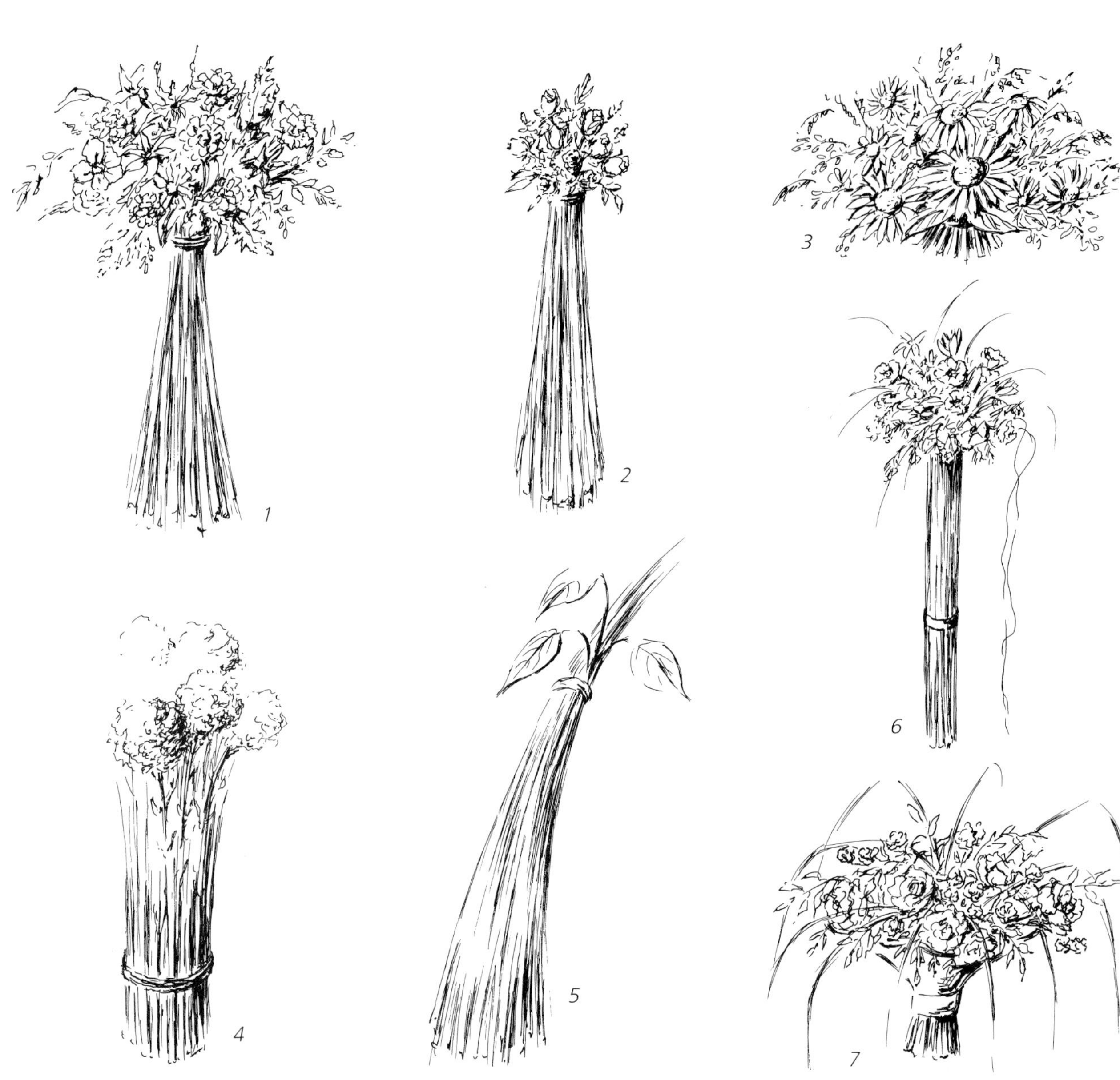

De différentes modifications. Les tiges du bouquet sont nettement plus longues que la partie au-dessus du point de ligature (1) ; cela peut être poursuivi jusqu'à ce qu'il n'y ait presque plus que des tiges (2). Mais on peut aussi aborder cette réduction dans l'autre sens, et alors les tiges peuvent être tellement raccourcies qu'elles n'existent presque plus (3). Ce n'est pas seulement la base du bouquet qui appelle des changements de proportions ; on peut ausi décaler l'assemblage et la ligature des tiges : d'abord elle est fixée tout en bas (4), ensuite elle est décalée vers le haut (5). Des lignes étirées vers le haut se rencontrent dans un bouquet rond (6). On limite l'écart de tiges qui penchent grâce à une bague (7).

une forme intense jusqu'à un certain point. Une tension qui n'est pas conduite vers une apogée au niveau visuel, n'est qu'un geste vide et purement formel. De telles dimensions ont besoin de trouver d'autres points d'appui que les proportions, pour pouvoir mener leur brillant jeu.

Voici des exemples pour une modification ou un retournement des normes habituelles :

• Les tiges du bouquet sont plus longues et plus grandes que le bouquet lui-même. Cela peut se produire dans des proportions variables, jusqu'au point où il n'y a presque plus que des tiges.

• Le bouquet est beaucoup plus grand que la norme qui existe habituellement entre le bouquet et sa base. Cela peut aller si loin, qu'il n'y a presque plus de tiges et que le bouquet est en grande partie couché sur son support.

• Des bottes, composées de tiges qui s'écartent et englobent tout, tantôt avec le point de ligament tout en-haut, tantôt tout en bas.

• Décalage du point de ligament dans un certain nombre de bouquets, vers des points situés très hauts ou très bas.

• Des gerbes lourdes, pesantes et denses avec une compensation qui est amenée par des lignes et des couleurs.

• Des lignes et des mouvements étirés vers le haut se rencontrent dans un bouquet rond et compact.

• On donne à des pédoncules qui penchent dans tous les sens un soutien par une bague ou une autre délimitation.

• Des tracés verticaux, ascendants et qui s'écartent ainsi que des proportions ayant une longueur exagérée.

• Apport d'une stabilisation horizontale.

• Mise en relation et concentation d'énergies qui se situent au niveau de la couleur et la forme.

• Poids et contrepoids.

Des changements de positions et de valeurs. On crée une tendance contraire à l'épanouissement ascendant de fortes personnalités florales (8). Dynamisme et élan ont besoin d'un équilibrage au niveau des forces ; le côté statique et le côté dynamique peuvent alors former un antagonisme intéressant (9). Le jeu des distances et de différentes densités peut constituer un geste primordial de la composition florale (10). De fortes énergies formelles peuvent se dégager du jeu des proportions d'une totalité, et cela par les quantités et les lignes (11).

• Création d'un mouvement qu'on arrête ensuite.
• Affermissement et apport de mouvement dans un tracé.
• Densification et éparpillement.

Un rééquilibrage et un renforcement des tensions par des contrastes (de haut en bas). Le volume dense peut trouver un contraste par un autre volume compact, mais qui en est éloigné.
On arrête des mouvements à peine esquissés, brisés, par un assemblage statique.

Des mouvements sont densifiés et intensifiés, d'une façon inattendue, au cours de leur tracé.
Une divergence au niveau des formes ne doit pas forcément créer une disharmonie ; elle peut au contraire provoquer une stabilisation rassurante.

Les thèmes liés aux bouquets

Nous avons vu qu'il est possible de composer un grand nombre de bouquets grâce aux lois de composition que nous avons rencontrées. Mais on aboutit à des choses aussi riches et attrayantes en choisissant d'autres points de départ. A partir du thème de la nature et des fleurs, il est, par exemple, tout à fait normal de s'occuper de bouquets en rapport avec les saisons. D'autre thèmes se présentent à partir des fleurs elles-mêmes, mais aussi à partir de paysages ou d'associations d'images.

Le printemps

Pour beaucoup de gens, le bouquet de fleurs s'identifie au bouquet printanier. C'est pour cela que celui-ci peut être composé de toutes les fleurs qui se présentent à ce moment-là. L'important est qu'il soit gai, multicolore et bien étoffé. Si l'on demande un tel bouquet en juin ou en octobre, n'est-ce pas étrange ? Même si on ne pense qu'à un simple bouquet multicolore, l'habitude de le désigner comme « bouquet printanier » est difficile à accepter. En aucun cas, il ne faudrait y adjoindre des fleurs d'été ou d'automne.

Le printemps présente, comme aucune autre saison, une grande variété de la végétation. Cette saison se manifeste d'abord par des nuances de gris, de brun, par un peu de vert, et par le caractère de porcelaine des perce-neige. Elle se termine avec des pivoines, du lilas, des iris et du pavot, pour passer doucement à l'été. Pendant ces mois-ci, il peut y avoir des végétaux modestes ou très volumineux, tout cela correspond bien à la saison. Au niveau de la couleur, on observe la même variété grâce à une gamme assez large qui englobe des nuances fortes ou douces. On ressent chez les fleurs printanières, malgré leur manifestation discrète, quelque chose de bien déterminé. Les fleurs sont souvent d'une fraîcheur proche de la porcelaine, merveilleusement ciselées, mêmes dans les formes les plus petites. On rencontre peu de textures rugueuses, tout ressemble plutôt à du verre, de la porcelaine et du satin.

Les premières fleurs de l'année (à gauche). Fleurs de plein champ ou de serre, les premières fleurs du printemps attirent le regard par leur charme et leur grâce fragile.

Une botte composée de plusieurs fleurs de printemps (à droite). Elle sont réunies dans une coupe en émail. Sans prétention et assemblées spontanément, elles transmettent une impression de ramassage et de la conservation de vestiges d'hiver et d'éléments printaniers.

Un bouquet de printemps. La clarté lumineuse des fleurs de printemps a besoin du caractère retenu des couleurs et des formes de la fin de l'hiver ; ainsi elle peut exprimer sa richesse créatrice d'ambiances.

*Un bouquet de fin d'hiver. A la fin de l'hiver, des motifs liés à la saison ont leur propre charme. L'élément sauvage apparaît maintenant comme étant précieux ; c'est le moment culminant où fleurissent beaucoup de belles espèces d'*Helleborus *comme* H. foetidus, H. nigra, H.atropurpurea, *etc.*

En regardant les premières fleurs de printemps, on voit que leur croissance est destinée à faire apparaître les inflorescences le plus vite possible. En même temps, elles cherchent à se mettre le plus possible à l'abri des intempéries et à se protéger elles-mêmes. Au début, les plantes n'ont pas de tiges longues ni beaucoup de feuilles, ce qui, au cours du printemps, change petit à petit. Les hampes des inflorescences s'allongent, et, en oubliant un peu leur tendance ascendante, elles se mettent à décrire des mouvements circulaires et souples. Lorsque les tulipes et les narcisses deviennent plus hauts et que les fritillaires s'élèvent majestueusement, arrive le temps de composer d'abondants bouquets printaniers qui peuvent déployer de plus en plus leurs splendeurs pour culminer à la saison des pivoines.

Les formes des bouquets printaniers se présentent alors en fonction des fleurs disponibles : il y a des bouquets rondelets, des bottes denses ou des gerbes aux mouvements aériens. Des éléments naturels, d'une certaine naïveté, s'associent aux premières fleurs du jardin, à de précieuses fleurs à bulbes et à des rameaux nouveaux en filigrane.

Aucune saison ne devrait produire le bouquets standard qui représente toujours le même type et qui varie uniquement par les éléments saisonniers qu'on y ajoute. Cela correspondrait, au printemps, à une méconnaissance des formes florales avec leur potentiel d'expression qui stimule l'imagination et engendre des ambiances.

Que seraient les débuts de janvier ou de février sans les petits bouquets inspirés des paysages de la saison, et qui sont composés de mousse, de petites branches, de perce-neige et d'autres fleurs du début de l'année ? Selon leur caractère, ces petits bouquets, à tiges courtes, peuvent être disposés dans une coupe. – Que serait le mois de mars sans les bottes bien fournies de narcisses ? Leur caractère peu compliqué permet de les nouer en abondance, en utilisant aussi leurs feuilles. On peut, éventuellement, y associer des rameaux, mais l'important est d'en prendre des quantités assez conséquentes. Il faut alors les nouer avec du raphia naturel et large, les disposer dans une poterie large, pour que tout soit bien visible : les fleurs, les tiges et le lien. De belles variétés de narcisses permettent des compositions simples d'une expression époustouflante.

Des impressions très diverses peuvent être créées à partir des magnifiques couleurs des tulipes, des tiges élancées de ces fleurs et du léger parfum vert qui en émane. Les tons lumineux et les fleurs aux lignes précises se prêtent à la composition d'un bouquet gai et intensif. Les couleurs printanières vont du jaune citron, de l'orange lumineux et du rouge jusqu'au bleu des anémones et des scilles. Elles possèdent une fraîcheur bien précise qui est même présente dans les tons plus chauds, et qu'on ne rencontre pas pendant les autres saisons. Ces couleurs ont besoin d'un vert clair et aussi du blanc pour compléter l'harmonie. Lorsque les couleurs sont vives, l'impression qui s'en dégage peut être triviale si on met trop en avant la couleur sans tenir compte de la personnalité des fleurs.

Comme les nuances vives et bien déterminées, les couleurs pastels font partie du printemps. Souvent, le caractère des feuilles fait que les couleurs pastels ne deviennent pas monotones et fades. On peut s'imaginer de la soie, légèrement plissée, rouge et même noire, mais elle peut tout aussi bien avoir la couleur pastel du pavot d'Islande. On ne peut pas commettre d'erreurs avec des fleurs printanières à couleur pastel. Ainsi on réussit des compositions raffinées en utilisant des tulipes perroquets de couleur prune ou des iris aux nuances grises.

Les harmonies de couleurs qui jouent sur les intensités d'une même couleur (du plus clair au plus foncé), font toujours de l'effet ; par exemple, les tulipes, les renoncules, les narcisses, les anémones etc. L'impression de monotonie, qui peut naître, sera compensée par des surfaces florales mouvementées et un feuillage décoratif.

Vers le milieu du printemps, arrivent les premières fleurs de l'été sur le marché. Quelques-unes sont encore peu utiles et nous réjouiront plus tard. Ainsi le phlox, le gypsophile, *Aster alpinus* et *Aster ericoides* ne sont pas de bons compagnons pour le lilas, les fritillaires, les tulipes, les boules de neige et les pivoines. En revanche, on peut accepter de l'iris, de *Thalictrum*, des campanules, de *Alchemilla* et d'autres. Les fleurs devenues « neutres » comme les œillets, les gerberas, les chrysanthèmes etc. n'ont aucun lien, ni formel ni substantiel, avec ces gerbes printanières.

Lorsque le type de bouquet est déterminé par les fleurs elles-mêmes, cela génère beaucoup de formes différentes. Il y a, par exemple, de petites compositions dans lesquelles se trouvent des violettes, de *Bellis*, des perce-neige, des primevères, des scilles, des muscaris et d'autres fleurs du début de la saison ; on voit aussi des bouquets structurés évoquant des paysages. Le mouvement ascendant des fleurs favorise, évidemment, des bottes naturelles qui tiennent debout, composées de jacinthes, de tulipes à tige courte et des variétés de narcisses pas trop élancées. Il existe aussi des bouquets buissonants avec un tissu de branches dans lequel « poussent » des espèces au caractère sauvage comme *Leucojum*, *Erythronium*, *Helleborus* (variété tardive), le pavot d'Islande, *Dicentra.* Suivent des bouquets assez libres où « le jardin » doit être la représentation directrice. Une multitude de fleurs diverses et variées ainsi que des rameaux en fleur

Un bouquet de Pâques. Des freesia et des anémones sont ici assemblés pour former un petit bouquet avec du feuillage de Viburnum tinus, *de la verdure de fin d'hiver provenant de mûriers et des vestiges de roseaux. Quelques oeufs peints et un peu de paille donnent le motif pascal.*

fournissent une impression saisonnière tout à fait convaincante, à condition, qu'on respecte des critères comme la croissance et la personnalité des fleurs.

Des fleurs solitaires ou des fleurs un peu spéciales comme les fritillaires, des variétés d'iris plus rares, des anémones ou des tulipes sauvages seront nouées pour former des bouquets spontanés, construits ou assemblés avec légèreté.

Le printemps est, avec l'automne, la saison qui se prête à l'utilisation des branchages. Dans le cas des bouquets naturels, ils doivent être employés selon leur caractère et leur port. Ce n'est pas difficile, car nous disposons d'un grand choix. Il y a d'abord les variétés de *Prunus* avec leur croissance ascendante comme *Prunus serrulata* 'Kanzan', 'Amanogawa' ou bien la variété arachnéenne 'Accolade' ainsi que *Prunus subhirtella* 'Autumnalis' qui a un port plutôt retombant, légèrement ramifié etc. Il y a ensuite les forsythias et, avant tout, *Forsythia suspensa* ainsi que les variétés apparentées (sauf celles, incroyablement rigides, du type 'Intermedia') ; citons encore *Amelanchier*, *Corylopsis*, *Hamamelis*, *Rhododendron*, le lilas, *Viburnum*, *Cornus*, *Malus*, les magnolias, *Prunus persica* (pêche décorative), les espèces de *Salix*, les spirées, *Chaenomeles*, ainsi que les bouleaux, le prunelier, les aulnes, le noisetier, la viorne des haies, et ainsi de suite. Que ces arbustes soient soumis à un forçage ou qu'ils poussent et fleurissent naturellement, ils enrichissent les bouquets de l'hiver jusqu'à la fin du printemps.

Lorsque les bouquets sont moins déterminés par les fleurs que par les principes de composition, il faut que le matériau se plie à ceux-ci. Il faut donc le sélectionner en conséquence. On peut alors nouer des bouquets Biedermeier en choisissant soigneusement les nuances de couleurs et les fonds de bouquet, composés de papier de soie fin, entouré délicatement de rameaux, de feuilles et de feuillage d'hiver. Un autre type serait les bouquets ronds avec des courbures différentes (rondes ou ovales), composés de fleurs fines à petit format comme les myosotis, les giroflées, *Iberis*, *Arabis*, avec des fonds de bouquet gracieux ou une bordure légèrement fluide. On y trouve aussi des bouquets décoratifs, dans des proportions diverses et variées en hauteur et en largeur. Certains, selon le type de fleur utilisé, ont des silhouettes compactes, d'autres des lignes plus diffuses. Ainsi *Doronicum*, le pavot et l'euphorbe du printemps peuvent être mieux arrangés en surface aplatie et close que des tulipes pointues ou des variétés de narcisses. Pour les gerbes décoratives, on devrait aussi tenir compte des particularités de chaque fleur. Des fleurs, traditionnellement préparées à fleurir plus tôt, arrangées d'une façon classique, sortent de l'ordinaire : des muguets, dans un bouquet au profil demi-sphérique, bien équilibré. Des tulipes perroquets disposées symétriquement, et qui donnent à la symétrie, de par leur port retombant,

Une gerbe avec des narcisses. Des espèce de narcisses tardives rencontrent ici des branches de cytise *; à cela s'ajoutent le lierre et d'autres feuilles rigides. Le résultat est un bouquet d'un jaune clair et frais, ayant aussi des nuances sombres vert émeraude.*

De simples fleurs d'été. Ce petit bouquet d'été est à la fois odorant et nostalgique : des cosmos, de Chrysanthemums segetum *et de* Chrysanthemums carinatum, *des bleuets, de l'aneth, des statices, des clarkias, des calendulas, des géraniums, etc.*

un caractère spontané. De grands bouquets avec du lilas à tiges longues, ayant un effet presque mousseux, devraient être noués avec leur propre feuillage naturel. Quant aux bouquets décoratifs grands et abondants, érigés ou couchés, le bon moment pour leur composition est arrivé quand les tulipes sont longues, quand le lilas est souple et quand arrivent les premières pivoines.

L'été

Beaucoup de fleurs qu'on trouve pendant toute l'année, appartiennent à l'été, et devraient entrer en scène, à présent : les roses, les œillets, les lys, *Liatris*, les glaïeuls, l'aneth, *Ammi*, le gypsophile, *Aster alpinus* etc. Ces fleurs se trouvent maintenant dans toutes sortes de combinaisons et cela à toutes

les saisons. Grâce à leur présence continuelle, due à des circonstances extérieures et à des habitudes, elles ont l'air d'être bien à leur place. Mais un bouquet qui résulte d'un tel choix, même si on a réfléchi à tous les facteurs – le travail artisanal, la combinaison des espèces et des couleurs, les relations formelles – peut paraître étrangement stéréotypé.

Un bouquet d'été. Des bouquets bien étoffés et sans prétention font partie de l'été : des pieds d'alouette, Aruncus, Malvas, Thalictrum, *des clématites,* Miscanthus, *des roses.*

Le fait que les plantes soient présentes en permanence, qu'elles soient presque neutres par rapport aux saisons, mène à la perte du caractère déterminant d'un tel bouquet : son expression estivale.

L'été est l'époque où nous trouvons en abondance la plus grande variété de formes. Tous les caractères sont réunis ; tout ce qui est vigoureux, doux, rugueux, sévère, frappant, retenu, bizarre, grandiose et modeste. Les couleurs sont disponibles dans toutes leurs nuances, des pastels jusqu'aux tons les plus sombres. Les nuances lumineuses du printemps continuent à exister, avec la différence que les fleurs sont maintenant autrement structurées, qu'elles montrent d'autres textures. Le même ton, avec le même degré d'intensité, apparaît maintenant un peu plus saturé ; il est plus profond, plus estival. Les surfaces sont plutôt rugueuses ou veloutées, elles ressemblent à de la faille de soie et à du satin, ou bien à de la cire comme les fleurs des dahlias. On n'entend plus le son des cloches de verre du printemps, mais nous découvrons beaucoup de parfums qui caractérisent l'été avec les pois de senteur, *Godetia*, *Clarkia* etc. Le blanc verdoyant d'un hortensia buissonant (*Hydrangea arborescens*) a un tout autre caractère que le même ton chez les scilles. Le rouge des tulipes est différent de celui de *Salva coccinea*.

La même chose est à constater pour les formes florales et végétales : en été, il y a vraiment tout. Cela commence par le simple cercle du calendula en passant par les sphères et les cônes du poireau et des chardons, les fleurs tubulaires de *Eremurus* et du pied d'alouette jusqu'aux fleurs des lis en forme d'entonnoir. Les panicules gracieuses de *Veronica*, de *Salvia*, des nombreuses petites et grandes fleurs mousseuses provenant des ombellifères et des œillets se marient bien avec les magnifiques hortensias et les délicieuses roses. Toutes sortes d'éléments grimpants et retombants complètent cette richesse, en s'associant à des graminées et des feuilles. Il y a des types verticaux, buissonants et ronds en abondance, et même beaucoup de plantes qui montrent une tendance naturelle plus neutre, peuvent néanmoins donner, dans leur générosité, un parfum intense aux gerbes estivales.

Le printemps – qui n'évoquerait pas, en entendant ce mot, un paysage printanier avec des chatons de noisetier, des violettes et des anémones ? Le printemps – c'est le geste de ramener chez soi ce qui se passe dans la nature, car les événements se passent bel et bien dehors ; on les transpose, le cas échéant, au jardin. Et l'été ? C'est la nature sauvage domestiquée, influencée par la « culture », l'« horticulture ». L'offre des entreprises horticoles et des grossistes est plus diverse que jamais. Elle est portant fluctuante et dépend de la qualité des sources d'approvisionnement. Cette grande diversité a déjà existé, il y a 70 ou 80 ans, à une époque où de nouvelles espèces et variétés ont été cultivées et commercialisées par les vieilles entreprises célèbres. Il s'agit là de fleurs qui ont malheureusement redisparu du commerce. Toujours est-il que l'abondance et la qualité actuelles n'existaient pas autrefois.

Cette période estivale de grande vitalité est, malheureusement, trop souvent soutenue par des hôtes ennuyeux qu'on recontre toute l'année comme les chrysanthèmes... Là, on hésite à citer les gerberas, les lys du type 'Enchantment', *Liatris*, les œillets : mais ce sont toutes des fleurs d'été ! Eh oui, mettons-les donc dans les bouquets pour qu'ils redeviennent ce qu'ils sont réellement, des fleurs d'été de plein champ ou cultivées en serre. Tout est de savoir comment et avec quoi on les utilise, et comment développer des réactions adaptées à de telles fleurs.

On doit sentir la diversité et l'abondance des bouquets d'été, qu'ils soient symétriques, ronds, aérés, spontanés ou noués tout autrement. Ils contiennent, selon le type de fleur, les couleurs de la saison. Cette gamme de couleurs comprend aussi bien le blanc imprégné de la fraîcheur matinale d'une chaude journée d'été que la richesse du bleu et du violet des soirées où quelques points lumineux, provenant de tons pastel, s'estompent dans l'obscurité. Les couleurs vives dominent et l'aspect multicolore est ici tout à fait à sa place. De petites taches fraîches disséminées dans les couleurs fortes ou quelques tons sombres rendent ces combinaisons plus intéressantes ; ils s'y prêtent mieux que le blanc qui accentue – parfois trop – ce qui est déjà multicolore. Le blanc est la couleur de porcelaine du printemps, mais il peut aussi être la couleur estivale la plus délicate qui existe. L'été connaît de multiples nuances très fines de blancs gris, de brunâtres, de verdâtres et bleuâtres ; elles n'exsitent pas pendant le reste de l'année.

Pendant toutes les saisons, sauf en hiver, il y a des quantités suffisantes de feuillage ; cela vaut en particulier pour l'été. Il se manifeste en d'innombrables variations, de la feuille grise et duveteuse jusqu'au vert rougeâtre, comme verni, de *Beta vulgaris* 'Ruby chard'. Ce n'est pas seulement grâce à la couleur que ces « associés des fleurs » méritent qu'on leur accorde l'attention nécessaire, les formes dans leur spécificité jouent aussi un grand rôle. En parlant des couleurs des feuilles, on mentionne souvent en premier lieu la coloration automnale d'un grand nombre de feuilles et de certains buissons. Mais l'été nous réserve d'autres couleurs délicieuses d'une grande finesse. Les nuances grises en sont les plus belles : un gris de fourrure claire se mélange avec des tons d'étain et d'argent mat ciselé. La lavande, *Stachys*, *Santolina*, *Artemisia*, *Salvia* et d'autres forment entre eux ou avec un peu de jaune

De la diversité. Les Godetia *et les mauves sont des fleurs à l'ancienne qui s'adaptent merveilleusement aux bouquets d'été. Ici on les voit en combinaison avec* Linaria, Cosmos, Galium, Galega, Veronica, Dianthus caesius, *les marguerites, les pois de senteur, etc.*

citron, de bleu frais, de rose et de blanc des images subtiles et impressionnantes.

Le feuillage rougeâtre peut jouer un rôle semblable à celui du feuillage gris, d'un côté pour compléter beaucoup de bouquets différents, mais il peut aussi être un moyen d'expression en soi. Plus les tons et les structures foliaires sont complexes, plus une gerbe peut devenir harmonieuse, et cela même sans la couleur des fleurs : le sombre tamaris, *Heuchera* à feuilles rouges, le même type de fenouil, *Prunus pissardii*, la sauge couleur prune, *Tellima* rouge bronze et bien d'autres donnent des ambiances merveilleusement saturées.

Des bouquets d'été naturels

Pour les gerbes d'été au caractère naturel ou décoratif, on ne devrait pas utiliser des moyens trop limités. L'expression des fleurs et le port des végétaux déterminent le bouquet, les points de départ sont différents de ceux qu'on choisit pour les formes décoratives. Pensons à des gerbes naturelles du type « ambiance de jardin » où les plantes et les fleurs s'enchevêtrent en estompant un peu leurs formes. Cela peut évoquer des images d'un jardin sauvage ou d'un parterre de fleurs. Les formes dominantes groupées permettent aux formes florales plus douces de créer un équilibre et un élan optique. Les formes solitaires dominent un bouquet construit plutôt de forme décorative que linéaire. Des gerbes souples, spontanées, gagnent leur expression spécifique par un feuillage grimpant et retombant. Beaucoup de fleurs d'été ne parviennent à leur vraie expression que si elles montrent leurs tiges dans des bouquets naturels, généreux et légers : les lys, les pieds d'alouette, la digitale, *Allium*, *Alcea* (rose trémière). Les bouquets composés de feuilles ont comme source d'inspiration la lisière d'un bois et sa végétation au sol, ou bien les différentes communautés végétales possédant un feuillage impressionnant.

Des bouquets d'été décoratifs

Pensons à certains bouquets d'été où domine l'aspect décoratif : des petits, rondelets, fermement noués, avec toutes sortes de fleurs composées ; des gerbes décoratives qui ne respectent pas énormément le port en faveur de la forme et de l'éclat des fleurs. Nous voyons ici avant tout des bouquets assez longs, et qui possèdent une grande variété de fleurs, à la manière des peintres hollandais et flamands ou bien sous forme d'impressions modernes. En été, la composition des bou-

Un récipient champêtre et un bouquet d'automne. Le pot tressé avec du blé est un récipient tout à fait adapté à un bouquet composé de fruits et de feuillages. Le blé, les églantines, les coloquintes décoratives, les fruits et les feuilles d'érable, les sorbiers, les troënes et les feuilles du chêne sont mis dans un simple bocal en verre.

quets décoratifs utilise un très grand choix de fleurs de parenté et donne des bouquets de jardin très construits, des gerbes retombantes et d'autres à forme de pyramide.

Pour ces dernières, la forme classique peut, éventuellement, être assouplie si on réussit à casser ou à estomper la forme globale. Des bouquets composés de feuilles existent sous forme compacte, avec des lignes très précises.

Des bouquets composés d'une seule espèce de fleurs

Il serait dommage de laisser passer la saison sans nouer des bouquets classiques, naturels ou décoratifs avec une seule espèce de fleurs. Citons les bouquets généreusement noués de fleurs de brocart, comme les gaillardes ou *Zinnia angustifolia* ; les magnifiques clochettes de *Pentstemons gentianoides* aux couleurs roses, rouges ou violets dont les brassées sont splendides ; pensons aussi aux œillets Chabaud à l'ancienne. On a l'impression qu'ils font revivre tout le parfum perdu dans les formes cultivées plus récemment ; il faut les nouer seuls avec leurs feuilles. Celui qui n'associe pas l'été à deux poignées de réséda sur une table, est vraiment insensible à sa beauté ! Et même si le phlox ne tient qu'une semaine (d'autres fleurs tiennent encore moins longtemps), il faut pouvoir offrir à ses clients ces bouquets de phlox épais, aériens, saturés de couleurs et odorants. Que l'été soit justement si plein de réminiscences aux époques anciennes vient sans doute du fait qu'on a découvert et cultivé la plupart de nos fleurs d'été à l'époque de la première horticulture commerciale. Quoi qu'il en soit, l'observateur peut se laisser surprendre par des bouquets étonnement résistants, composés de géranium, de pétunia, de calcéolaires, de *Salvia splendens*, en combinaison avec d'autres fleurs d'été et avec des roses.

L'automne

On pourrait caractériser le printemps et l'automne comme étant des pôles opposés qui possèdent des relations et des conditions apparentées. Au printemps, la végétation s'apprête à devenir de plus en plus abondante, en automne, tout va lentement vers une phase de repos. Beaucoup de plantes entrent maintenant dans un stade d'épanouissement sous forme de fruits et de réceptacles. Certaines ont ainsi atteint l'apogée de leur cycle de croissance, de sorte qu'elles épanouissent, plus que jamais, leur couleur et leur éclat. En général, les tons sont plus profonds, plus chauds et volumineux qu'en été. Ils sont plus saturés qu'avant, et peuvent avoir une certaine luminosité et parfois de petites taches printanières de couleurs pastel. Comme au printemps les couleurs vives naissent à partir des restes d'hiver gris, bruns ou jaunes comme les roseaux, ainsi les couleurs de l'automne retournent vers le gris, le brun et l'ocre.

Les fruits et le feuillage sont les éléments dominants, caractéristiques de cette saison. Une plante en fleurs est belle, arrivée à son apogée. Cependant, il n'y a pas de stade dans la vie d'une plante qui ne soit sans valeur esthétique. Ce sont uniquement nos connaissances et notre faculté de voir qui ne sont pas assez développées. Tous les processsus ont leur moment et leur expression propres. En octobre, quand on va chercher au jardin la dernière rose qui a poussé dehors, et qui est assez chétive, à moitié gelée, mais qui s'efforce de fleurir malgré sa faiblesse, on ressent sa beauté fragile, qui aurait paru médiocre en été, comme un petit événement. De telles anecdotes et de tels événements peuvent aussi se refléter dans une gerbe qui montre alors l'ambiance qui règne autour de tels processus et situations. Des images comme celle-ci vivent avant tout dans des bouquets qui s'inspirent du jardin et des paysages.

Il y a ici de beaux bouquets naturels à caractère « sauvage » qui évoquent la bordure d'un champ ou la lisière de la forêt. Dans cette catégorie se trouve le

Un bouquet d'herbes (à gauche). Des graminées jaunâtres, brunâtres, verdâtres et celles aux couleurs de la pampa, sont ici nouées pour former un bouquet décoratif.

Miscanthus et Chamaecyparis (à droite). Ces végétaux discrets peuvent néanmoins, tout seuls, évoquer une ambiance calme de fin d'automne.

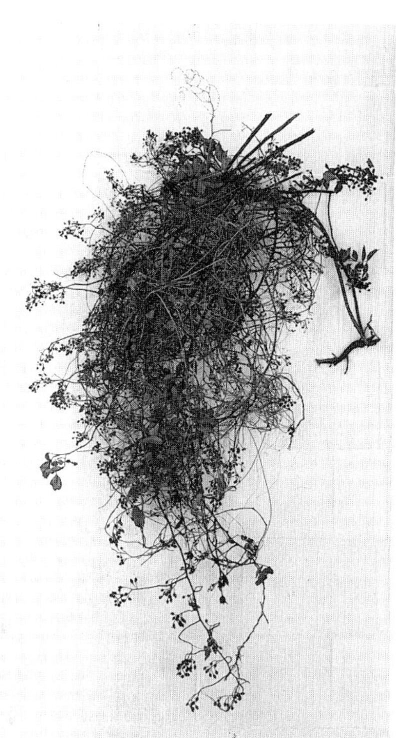

Le « bouquet de roses » en automne.
Il est attrayant de remplacer les boutons et les fleurs des roses par un bon nombre d'églantines. Certaines espèces et variétés de roses permettent un bon séchage de leurs fruits qui restent jolis en conservant leur couleurs.

bouquet d'automne ayant du volume, aux couleurs lourdes, lumineuses et ternes. Il faut le composer aussi longtemps que possible, même lorsque les feuilles commencent à tomber ; il existe toujours des branches porteuses de fruits, et occasionnellement, on peut se procurer des rameaux avec des feuilles qui y restent longtemps attachées, comme, par exemple, *Cotoneaster bullatus*, *Ligustrum ovalifolium*, *L. vulgare* 'Sempervirens', *Quercus coccinea* ; *Jasminum nudiflorum* et *Kerria* produisent des effets grâce à leur écorce verte.

C'est le moment où les chrysanthèmes doivent dominer la scène. On les voit alors dans toutes les couleurs, dans toutes les variétés. Il y a des bouquets avec seulement quelques chrysanthèmes rayonnants aux grandes fleurs ayant l'air précieux. Il y en a qui sont noués d'une façon serrée ou aérée et qui contiennent de petites variétés de plein champ, simples ou remplies. Il y a enfin des gerbes prestigieuses dans des tons de bronze ou bien de grandes fleurs bordeaux et brun foncé dont les pétales incurvés sont dorés au dos.

En automne, il y a des juxtapositions intéressantes : à côté des dernières fleurs de la saison, cultivées en plein champ ou en serre, se trouvent les premiers produits d'importation en provenance de la Méditerranée, de l'Australie ou de l'Afrique. Ainsi le printemps nous salue de loin – tout est alors disponible et possible : le lilas, des mimosas, *Aster alpinus*, *Calendula*, *Protea*, les anémones, les euphorbes etc. De tels mélanges se trouvent facilement grâce à l'assortiment d'un grand marché à fleurs coupées bien achalandé. C'est pour cela qu'il est nécessaire de classer, au moins approximativement, les fleurs qu'on choisit, selon le lieu et le moment de l'année. Il serait problématique de mélanger tout ce qui est disponible d'une façon désordonnée, en ne tenant compte, par exemple, que des couleurs et des formes florales. Lorsqu'on réussit un rapprochement prudent entre des fleurs qui paraissent inhabituelles, le résultat peut être de beaux bouquets raffinés ou bien des bouquets tout simples. A ce moment de l'année, il est donc posssible de trouver des constellations tout à fait singulières des matériaux, en prenant des végétaux de l'étranger et du pays, avec une touche printanière et des éléments insolites venant de loin.

Des types de bouquet en automne

Les types de bouquets qu'on trouve en automne, sont aussi riches qu'en été, parfois même imposants, surtout quand s'y ajoutent des branches porteuses de baies ou de feuillage. Ils sont naturels ou plutôt décoratifs, selon le matériau et l'effet souhaité. Le bouquet rond avec ses lignes équilibrées et son caractère un peu plus compact trouve une grande quantité de matériaux appropriés, aussi bien que le bouquet plus libre qui décrit des mouvements gracieux. Comme au printemps, on arrive à nouer un certain nombre de bouquets Biedermeier tout à fait charmants, en utilisant des matériaux provenant d'endroits dans la nature où se trouvent des feuilles, des ronces et des réceptacles. En voyant ces plantes, c'est le moment de penser à la conservation et à la préparation pour l'hiver. Il n'est pas encore trop tard pour sécher des fruits et ramasser des capsules. Cependant, beaucoup de possibilités attrayantes ont disparu avec les derniers jours de fin d'été. Peut-être n'a-t-on pas récolté suffisamment tôt les branches des hybrides de *Rosa multiflora*, porteuses de petites églantines. Peut-être n'a-t-on pas pensé à mettre toutes sortes de feuilles et de branches dans une émulsion de glycérine... Ce sont des éléments idéaux pour tous les bouquets d'hiver et de fin d'hiver, parce qu'elles apportent un caractère inimitable grâce aux tons olives, ocres, sables, beiges, bruns clairs et bruns foncés ainsi que d'autres modulations de couleurs.

Les inspirations qui sont à la base des compositions, peuvent aller d'ambiances automnales jusqu'à la nature morte, comme les bouquets d'octobre aux baies de la forêt, les gerbes composées de fruits et de bottes d'épis. Le paysage se fait sentir dans une composition où on utilise des fruits noirs des

Une expression de retenue. Les nuances de couleurs troubles et le vert filiforme des conifères créent, malgré la présence de lignes prononcées, une ambiance douce. Le feuillage de l'ellébore est en partie frais, en partie préparé.

La fin d'automne. Même si l'ambiance de cette époque peut être mélancolique, elle permet de reconnaître la beauté des plantes simples : Chamaecyparis, Thuja, Idesia polycarpa, Thalictrum, Asclepias *et d'autres.*

troënes, des branches bleues de prunelier, couvertes de gelée blanche, et des colchiques. A côté des bouquets aux feuilles et aux légumes, il y a ceux de caractère romantique, composés de fleurs, de branches avec du feuillage et de capsules de roses. C'est l'époque des structures tissées et enchevêtrées. Les longues tiges des fleurs d'été sont couchées, pliées et aplaties ; elles sont recouvertes de ronces qui forment avec elles des boules et des bourrelets, des formes sphériques et ovales à travers lesquelles on perçoit les dernières fleurs, ce sont là des sources d'inspiration pour des formes insolites.

On intègre alors, dans des bouquets noués un peu plus haut, des lignes minces, construites à partir de ronces et d'herbe qui enveloppent le bouquet. *Celastrus*, la clématite, *Akebia*, le lierre, *Vitis*, *Lonicera* sont maintenant assez stables et attrayants, vu qu'ils ont perdu leur feuillage. On peut alors les tresser avec des mouvements circulaires en y enveloppant toutes sortes de fleurs et de fruits décoratifs ; on peut aussi, par le seul jeu des lignes et des ramifications, esquisser des formes filigranes ou statiques.

Des formes construites, d'un caractère naturel ou décoratif, mettent en valeur des branches porteuses de fruits ou de feuillage d'automne ainsi que des réceptacles provenant d'arbustes : *Callicarpa*, *Celastrus*, *Chaenomeles*, *Malus*, accompagnés de *Cimicifuga*, de *Phlomis*, de *Acanthus* etc.

Des couleurs d'automne

Le concept de « couleur d'automne » englobe l'or et l'ocre, le jaune et le rouge-brun ; le bleu devient plutôt violet et le rouge tend à devenir brun ou violet. Mais il y a aussi des tons pastels qui proviennent souvent de fleurs plus « grossières » et qui, pour cette raison, n'ont pas l'air aussi éthérés qu'aux autres saisons, par exemple, beaucoup de chrysanthèmes, des dahlias, des asters d'automne. Chez les anémones, on peut percevoir un blanc printanier, du rose et du violet (comme celui du lilas).

Quand le choix des fleurs de la saison diminue, tous les trésors des pays étrangers – Australie, Afrique du Sud etc. – se lient harmonieusement aux plantes de nos pays, que ce soit les herbes, les feuilles, les réceptacles, les branches ou les fleurs. Souvent, leurs couleurs sont vives, mais elles peuvent aussi, dans le cas de formes florales spécifiques, être plus discrètes. Pensons par exemple aux belles espèces de *Protea*, de *Banksia* et de *Verticordia*. Souhaitons seulement que les plantes utilisées proviennent des cultures commerciales, et non pas des paysages sud-africains ou australiens ; dans ce cas-là, il faudrait vraiment y renoncer.

Des bouquets composés des dernières fleurs de l'automne

De même que les petits bouquets avec les premières fleurs du printemps peuvent facilement éclipser des bouquets prestigieux, de même, les fleurs les plus tardives de la saison en sont aussi capables. Bien que ce soit moins frappant : prenons de petits bouquets simples avec les dernières roses qui poussent dehors, de petites bottes de violettes remontantes, des colchiques, des bottes de chrysanthèmes les plus tardifs dont les feuilles ont déjà été abîmées par le froid. Pour rendre visibles la fin de la période de végétation, ces gerbes, presque symboliques, restent modestes et sans artifice ; on évite de les combiner, diviser, manipuler ou classer. Elles doivent être expressives par elles-mêmes. Il s'agit là de thèmes différents, l'un est la splendeur automnale, l'autre la fin de la végétation. Suit « l'hiver parcimonieux », mais d'abord il y a encore un étrange feu de joie : les fleurs séchées nous consolent quand il n'y a plus rien de vivant dehors. Tout ce qui a été cultivé, acheté et ramassé dans ce but, peut maintenant être mis en valeur ; il s'agit en particulier de bouquets bien étoffés, libres et possédant une symétrie décorative, vu que la personnalité du végétal, surtout chez les plantes annuelles sèches (mis à part les plantes exotiques) n'est presque plus présente. Ces plantes ne se sont peut-être pas excessivement rabougries, mais elles sont néanmoins privées de leur caractère et ne consistent plus qu'en formes et en couleurs florales.

L'hiver

L'hiver est la période des fêtes et, en même temps, la période sans fleurs. Mais tout est bien entendu disponible : le pavot et les mimosas, *Liatris* et la giroflée, l'ellébore et *Centaurea*, les roses et le pied d'alouette, les anémones et les asters. Avec cela on peut continuer à nouer des bouquets 'd'automne', 'de printemps' et aussi des 'bouquets d'été'. Et les bouquets d'hiver ? La saison qui connaît le plus de festivités, possède le moins de fleurs ; c'est pour cela qu'il faut des importations du monde entier. Peut-on s'en passer ? Oui, dans une certaine mesure, car le bouquet d'hiver doit garder son caractère hivernal, précieux, et cela malgré un côté parcimonieux. Il doit être précieux dans le sens d'une surprise, de quelque chose de touchant. La gerbe peut faire comprendre que l'hiver est une époque où les fleurs sont comme de petites apparitions miraculeuses. On choisit alors les bonnes vieilles plantes de serre : le lilas, *Amaryllis*, *Cyclamen*, *Myosotis*, les roses, le camélia, les muguets, *Arum*, le poinsettia, les fleurs de la Côte d'Azur comme *Narcissus tazetta*, des violettes, des

Un ornement modeste (page de gauche). Une courte panicule de Phalaenopsis *ainsi que quelques feuilles sont assemblées dans un petit tube en verre assez large qui est caché dans la botte de paille ; il pourrait tout aussi bien contenir une fleur moins précieuse. Voici une petite gerbe qui est souvent la bienvenue.*

Un bouquet en décembre. Des fleurs de serre classiques et la nature parcimonieuse de l'hiver forment ici un ensemble harmonieux : Euphorbia, Rosa multiflora, Picea *avec des pommes de pin.*

Des fleurs cultivées en serre. Des lis, des tulipes, des alstroemères et des œillets, toutes des fleurs de serre traditionnelles sont ici combinées d'une façon peu habituelle avec des herbacées, le Juniperus *etc.*

Des éléments secs (page de droite). Les différents matériaux secs donnent au bouquet sa forme et sa fermeté. Toutes les tiges sont entourées de fil de fer. Des conifères, qui ne perdent pas leurs aiguilles, y ont été intégrés.

roses Cobourg etc., les premières tulipes de serre courtes, des jacinthes et des orchidées. On n'a pas forcément besoin d'espèces traditionnelles, car celles-ci sont difficiles à trouver, mais on devrait pouvoir mettre en valeur ces plantes de serre à l'ancienne.

Où trouve-t-on encore, à l'heure actuelle, plusieurs variétés doubles de lilas (cultivé en serre), qui vont du blanc jusqu'au bleu clair en passant par le violet foncé ? Ce qu'on propose actuellement, ce sont des végétaux à tiges raides, uniformes et ennuyeux. On peut bien sûr se procurer toutes les variétés de roses dans des quantités voulues, mais ce sont des roses cultivées tout au long de l'année, ayant en hiver une qualité médiocre et qui arrivent d'outremer, raides comme des bâtons, ce qui ne contribue pas à rendre les bouquets plus gracieux et attrayants. Les gerbes hivernales pour lesquelles on utilise les roses, ont besoin d'un petit peu de ce caractère qu'apportaient autrefois les variétés remontantes. Cela peut se réaliser le mieux avec des variétés de la Côte d'Azur, même si on tient compte du fait que les variétés traditionnelles comme 'Druschki', 'Brunner', 'Madame Caroline Testout', 'Richmond', 'v. Houtte' et d'autres ne sont plus cultivées et n'ont plus de valeur que pour les collectionneurs.

L'hiver est la saison où on trouve la plupart des orchidées cultivées en serre. Peut-être peut-on réussir, au moins pour quelques-unes, à conserver l'éclat de ces plantes étranges et précieuses qui ont tendance à devenir, comme bien d'autres, des articles de masse dégénérés.

Dans les bouquets d'hiver, on trouve aussi des feuillages toujours verts, des conifères et de la verdure provenant de la Méditerranée. A cela s'ajoutent les premiers rameaux foliés ou ceux qui fleurissent en hiver, comme *Viburnum farreri*, *Hamamelis*, *Chimonanthus*, ainsi que des réceptacles et des graminées. Le caractère simple de tels bouquets fait qu'on obtient, en choisissant bien les nuances de couleur et de forme, une nature morte impressionnante au charme de laquelle un observateur sensible ne saurait se soustraire. La plénitude de l'été cède sa place à l'élan des lignes bizarres que forment les rameaux et d'autres objets naturels. L'ellébore et les premiers perce-neige, mélangés à du lierre, de la mousse et d'autres plantes toujours vertes, représentent à la fois une ambiance d'hiver et la promesse du printemps.

Des rameaux foliés font partie de l'hiver ; on les dispose entre les herbacées sombres et souples et des branches couvertes de mousse. Ils vont aussi bien avec les fleurs d'hiver classiques ou bien ils peuvent rester seuls dans un vase : le lilas, *Chaenomeles*, *Prunus*, les boules

de neige, le magnolia, le forsythia.

Parfois, la nature nous montre quelle impression peut être produite par un rameau en fleurs dans un lieu gris-brun, plongé dans un sommeil. Il peut y avoir quelques fleurs de *Jasminum nudiflorum* ou de *Viburnum bodtnanense* qui sortent trop tôt ou qui, fleurissant tard, ont été surprises par la neige ; ce sont là des images qu'on ne peut pas trouver soi-même, mais en les voyant, on peut les retenir et les réaliser dans un bouquet.

Mais tout ne doit pas forcément s'exprimer par des branches mortes ou persistantes, puisque nous sommes à l'époque des joyeuses fêtes où on offre des gerbes. Il faut donc nouer des bouquets prestigieux, comme des poinsettia blancs, décorés d'un vert hivernal – d'*Ilex* avec des nuances de vert crème, de conifères, de branches moussues ; pensons aussi aux précieux bouquets de muguets cultivés en serre, à des compositions classiques avec du lilas, aux branches de camélia, aux roses de la Côte d'Azur etc. Les tulipes de serre, les jacinthes et *Narcissus tazetta* étaient déjà à l'époque, il y a 80 ans, les fleurs préférées de la saison d'hiver. *Helleborus*, dans toutes ses variétés, est particulièrement précieux dans des gerbes de taille variable, avec des feuillages persistants, du gui, de petites branches couvertes de mousse, ou bien tout seul avec quelques-unes de ses propres feuilles.

Dans le cas des gerbes d'hiver nettement décoratives, les fleurs splendides des poinsettia, d'amaryllis et, avec quelques restrictions, celles des roses et des œillets, prennent une place importante. On compose alors de préférence des bouquets ronds, plats ou noués plus haut, ayant une silhouette en mouvement. Remarquons aussi que des fleurs comme *Amaryllis* ont un statut particulier. Tout en étant des fleurs de Noël classiques, leur port et leur forme les destine à être noués d'une façon plutôt naturelle. Mais qui pourrait s'opposer à un bouquet à tiges longues composé d'*Amaryllis* rouges et rouges-blancs, avec du lilas, des boules de neige, des camélia, des branches d'*Ilex* ainsi que d'autres éléments verts – à condition qu'il révèle, malgré ses lignes régulières, son caractère pittoresque et plein de mouvement ?

Les formes traditionnelles peuvent être bien réalisées avec des tulipes courtes de serre, du muguet, des jacinthes et de l'ellébore. On obtient alors des bouquets ayant une forme ronde ou ovale, avec une seule espèce de fleurs. Pour attirer le regard, il faut portant en choisir un nombre considérable. Il est d'ailleurs remarquable que ce sont justement ces fleurs d'hiver traditionnelles qu'on peut, sans porter atteinte à leur charme, voir et utiliser de différentes façons. Elles s'adaptent bient en petit nombre ou même seules à des bouquets qui s'inspirent du milieu naturel, mais on peut aussi les utiliser pour des ouvrages riches et décoratifs. Les bouquets d'hiver n'ont pas besoin, comme ceux des autres saisons, d'articles décoratifs pour exprimer une ambiance. Les produits qui sortent des rayons de décoration sont censés agir dans le sens d'une « amélioration » optique ou bien pour apporter un élément typique de la saison. Mais une gerbe qui répond d'emblée d'une façon juste à un principe de composition, n'a pas besoin d'être « embellie » ; en faisant cela, on risque plutôt de gâcher le bouquet. L'impression qui suggère une ambiance d'hiver ou de la période de Noël doit toujours provenir d'une combinaison de fleurs, feuilles et branches qui est le signe de la qualité de la composition, même dans le cas des ouvrages décoratifs. Cela n'exclut pas un supplément festif sous forme de lamelles d'or ou d'argent, de rubans, boules de verre, fil décoratif, bronze doré ou argenté, poussière d'or etc. ; en maniant ces choses avec prudence, elles ont leur raison d'être comme éléments décoratifs supplémentaires.

Pensons aussi à des gerbes décoratives vertes, composées de feuillage persistant et de conifères légèrement buissonnants : de *Chamaecyparis obtusa* 'Nana Gracilis', de petites branches trapues du *Taxus baccata* 'Fastigiata' etc. peuvent contenir de tels éléments décoratifs, – capables de s'imposer, en tant que supplément de Noël festif, à toute l'abondance qui l'entoure, à condition que cette gerbe soit assemblée parfaitement sur le plan artisanal.

Un côté plus naturel des bouquets d'hiver se manifeste par un grand nombre de parties végétales solitaires, qui donnent l'impression d'être particulières ou précieuses ; utilisées seules ou en quelques spécimens, elles peuvent être arrangées en mouvements linéaires ou plus décoratifs.

Dans ces cas-là, le lien peut être resserré ou large, selon le type de fleurs et la forme du bouquet. Des formes asymétriques, groupées ou se déployant librement, ont besoin d'un élan naturel ; elles peuvent le trouver avec *Euphorbia fulgens*, les freesia, les orchidées, *Eucharis*, *Anthurium*, les renoncules, le pavot, *Dimorphotheca* etc. ainsi que chez les rameaux foliés, les plantes à feuillage persistant et les conifères. Du caractère individuel de chaque fleur dépend la façon dont le bouquet est arrangé, avec générosité ou avec parcimonie. *Eucharis* et les orchidées doivent, par exemple, garder leur caractère élitiste ; en revanche, les renoncules peuvent s'épanouir davan-

Un petit bouquet de Noël. Les plantes discrètes créent une ambiance calme qui correspond à la période de l'Avent.

Des fleurs de tous les jours – sans banalité. Les roses peuvent exprimer leur caractère si on leur en donne l'occasion.

tage en formant des lignes diverses et variées.

Les impressions tirées de la nature et du jardin sont particulièrement fortes pendant la période de Noël. Juste au moment où la couleur et le scintillement sont très prononcés, ces gerbes retenues suggèrent réellement le calme. On peut aussi ajouter une petite bougie pas trop haute à des morceaux d'écorce et de petites branches aux formes bizarres. Il faut pour cela bien fixer et renforcer le bout de branche, l'écorce et la bougie. Si les autres matériaux se composent largement d'éléments frais, il faut dérouler le fil de fer le mieux possible (même s'il est verni, vu que le petit bouquet se trouve pendant longtemps dans l'eau). Si l'on n'a qu'une petite quantité de plantes fraîches, il est possible de tout renforcer immédiatement ; il faut juste veiller à ce que les conifères ne perdent pas leurs aiguilles.

Dans le cas des bouquets naturels, on n'utilise le fil de fer qu'exceptionnellement. Pour les compositions très structurées comme celles qui s'inspirent d'un paysage avec utilisation de branchages, il est de temps en temps nécessaire de munir d'une tige de fer ce qui est trop épais ou encombrant. En faisant cela, il faut veiller à ce que les tiges ne soient pas aplaties, que rien n'accroche et que le travail soit vraiment fait proprement ; on peut d'ailleurs être étonné de la résistance d'un tel bouquet.

Les fleurs de tous les jours

Nous désignons par ce terme, non pas les fleurs qui appartiennent à une saison, mais celles qu'on peut avoir pendant toute l'année, mis à part de petites interruptions. On peut très bien parler d'elles en les appelant les produits de la fabrication horticole. Mais elles gardent malgré tout quelque chose de leur caractère naturel, un vestige de leur qualité originelle. Ces fleurs peuvent avoir du caractère et on peut aussi leur concéder une certaine personnalité, même si elles ont été forcées à s'adapter, sans merci, aux habitudes quotidiennes. Plus l'évolution va vers un commerce de fleurs qui dure toute l'année, moins le client sera incité à la réflexion. Il se demandera de moins en moins où et quand fleurit telle ou telle fleur. Et il n'en a vraiment pas besoin, s'il se contente d'un bouquet de printemps composé de chrysanthèmes, d'iris, de lis et de tulipes. Mais peut-être refusera-t-il, un jour, cette composition sans imagination. Il risque alors d'être prêt à voir chez les fleurs de tous les jours des côtés plus positifs, dont elles possèdent un certain nombre. Tout dépend des combinaisons et des assemblages : ces fleurs ne s'opposent pas à la joie de l'expérimentation, et on a même l'impression que leur présence, en grand nombre, appelle une interprétation.

La plupart des principales fleurs coupées ont à partir de leurs formes originelles une longue histoire. Cette histoire peut donner des indications qui amènent un autre point de vue. Il suffit d'un peu d'attention et d'imagination pour faire ressortir, de produits horticoles ennuyeux, ce qu'ils ont en eux de par leur nature.

Les roses

La principale fleur coupée est sans aucun doute la rose dans ses variétés innombrables. Il existe des variétés rares ainsi que celles qui dominent le marché et qui donnent les chiffres d'affaires les plus élevés. Le changement des préférences pour tel ou tel type et la

Un bouquet ovale de roses. Les fleurs et les feuilles des roses sont la combinaison la plus naturelle qu'on puisse s'imaginer pour ces fleurs ; en plus, elle est très convaincante dans sa simplicité.

création incessante de nouvelles variétés, font que la rose devient de plus en plus « individuelle ». Comment une telle plante cultivée traditionnelle peut-elle retrouver un peu plus de son ancienne personnalité qui existe d'une manière ou d'une autre ? Il ne faut certainement pas remettre en question les résultats de la culture quant à la résistance et au rendement ; le caractère de masse propre à cette fleur ne peut pas non plus disparaître. On peut aussi citer des avantages indéniables de ces cultures, comme la résistance aux maladies dont elles sont atteintes, ce qui n'existait pas autrefois (cependant, il faut pour cela accepter une certaine forme de lutte contre les parasites). En revanche, il y avait dans le temps des variétés d'une beauté à couper le souffle. La nostalgie des variétés anciennes est actuellement satisfaite par un certain nombre de pépinières spécialisées dans le pays ou à l'étranger.

Ces variétés ne valent rien en tant que roses coupées à usage professionnel. Souvent, on ne récolte pas leurs fleurs au stade du bouton, mais à un stade plus avancé. Il arrive que des tiges faibles possèdent de grandes fleurs qui ne sont pas portées dans la verticale, mais qui sont légèrement penchées ; en outre, la longueur des tiges est souvent, de loin, moins importante que pour les variétés actuelles. La résistance des fleurs coupées n'est pas particulièrement bonne, et il faut s'attendre à ce qu'elles soient plus chères par rapport à d'autres variétés. Il n'empêche que ces fleurs en forme de rosage (divisées en quatre ou plissées) ainsi que le parfum de la plupart d'entre elles, restent supérieurs à tout ce qui existe. Certains horticulteurs s'efforcent d'ailleurs de combiner le charme des variétés anciennes avec la vigueur des nouvelles variétés ; c'est surtout en Angleterre qu'existent depuis longtemps des créations de ce genre.

Pour celui qui a vu fleurir des buissons de roses à l'ancienne, il est sans doute plus facile de regarder les roses de tous les jours sous un autre angle. Il est rare de voir des fleurs aussi agréables, mais qui souvent se présentent si raides, inodores, et, qui plus est, parfois dans des couleurs les plus criardes. Le port plus naturel à l'ancienne, légèrement penché, arqué un peu ramifié dans la verticale, est sans conteste merveilleux, a posé des problèmes considérables au commerce, au transport, au stockage et à la vente. Si, dans son propre jardin, on veut que ces variétés se conservent pendant une bonne période, il faut les couper et s'en occuper tant qu'elles sont encore fraîches. C'est pourquoi les travaux autour de ces plantes doivent être individuels ; ils découlent du regard qu'on a d'elles et des images qu'on peut former grâce à nos représentations.

Le fait que la rose soit aimée depuis des siècles, nous donne non seulement d'innombrables variétés, mais aussi de très grandes possibilités d'utilisation et de mise en valeur. En exploitant ce trésor, on peut essayer, même avec les roses facilement disponibles dans le commerce, de nouer des gerbes et de créer des compositions inhabituelles.

Peu de fleurs coupées nous apportent, à côté de l'inflorescence, autant de beaux éléments : boutons, feuilles, pousses du feuillage, fruits. Avec l'aide de tout cela, nous pouvons composer des bouquets aux lignes douces et aux formes naturelles avec des roses aux tiges raides.

De par leur culture, leur valeur et leur symbolisme, les roses peuvent être dominantes, élitistes et solitaires, mais leur nature permet, dans une certaine mesure, qu'elles soient prêtes à s'associer harmonieusement à un bon nombre d'autres fleurs. Dans des cas précis, cela dépend de leur forme et de la période de leur floraison, naturelle ou forcée. La gamme des variétés va des petites roses polyantha jusqu'aux types nobles. La période de floraison ouvre sur de larges possibilités de combinaisons. Elle va du début jusqu'à la fin de l'été, et se trouve au même moment que de nombreuses fleurs annuelles ou vivaces auxquelles les roses s'associent parfaitement. Les roses, cultivées en serre, sont en harmonie avec les fleurs d'hiver importées, avec des éricacées et avec les petites fleurs du *Verticordia* en provenance de la France ou de l'Australie. Elles ont aussi leur place dans des bouquets prestigieux du type classique, avec le lilas, *Euphorbia fulgens* etc. Pendant cette saison, on les ressent presque comme neutres, ce qui résulte sans doute de notre accoutumance de longue date.

A côté de tout cela, la rose est un symbole de l'amour ; elle représente aussi la Vierge Marie, la bénédiction divine et l'aspiration à une vie spirituelle. Les roses, associées à d'autres fleurs symboliques, peuvent atteindre une intensité dans l'expression sans qu'on ait à tenir compte d'autres points de vue :

- des roses et des lis blancs
- des roses et des violettes
- des roses et du lierre
- des roses et de l'ancolie
- des roses et du laurier

Le trait caractéristique principal d'une telle gerbe réside dans la mise en image du symbolisme des fleurs. Même si le sens profond était inconnu, il resterait toujours le contenu poétique et esthétique lié à la forme florale qui peut aussi être modifiée par la manière de composer les fleurs.

Le cyclamen. Les fleurs modestes, des tables de salon de thé, peuvent montrer leurs qualités enjouées, et même capricieuses, associées à de Corokia.

Un tout autre aspect apparaît par le respect des périodes de végétation. Au printemps, les couleurs sont d'un pastel vigoureux et les fleurs restent petites (comme chez les roses polyantha et floribunda) ; des fleurs gracieuses peuvent s'y ajouter *Bellis*, les jacinthes, *Erica carnea*, *Hyazinthoides hispanica*, *Dicentra*, les marguerites. En été, les couleurs et les formes sont très prononcées, les bouquets sont dynamiques, généreux et vigoureux. D'un caractère élégant, ils peuvent aussi être de tons pastels, en combinaison avec de *Phlox* clair, du tabac décoratif, de *Astrantia*, du feuillage gris, de l'hortensia, du dahlia pompon pâle ou bien avec de l'aneth, des branches de tilleul en fleurs et *Alchemilla* dans tous les tons – champagne, citron et orange. Les bouquets d'été réunissent des variétés à grandes fleurs, des roses polyantha, des fleurs simples et celles en rosaces dans les tons blancs, roses pâles, foncés et rouges, composées avec des branches, des herbes et des feuilles légères.

En automne, on est attiré par l'occasion de réunir des fleurs, des fruits et des pousses de feuilles, maintenant arrivées à maturité. En faisant cela, on met en valeur presque tous les stades de l'évolution de la plante. Si on n'a pas oublié de mettre quelques pousses (fruits et feuilles) dans une solution de glycérine, on peut obtenir des bouquets de roses extraordinaires jusqu'en hiver. La saison froide apporte alors des gerbes de roses qui ont la blancheur de l'hiver ou qui présentent des contrastes entre le vert des plantes persistantes et le rouge.

Les œillets

L'œillet n'a jamais pu vraiment concurrencer la rose dans sa position de fleur préférée du grand public ; par moments, et surtout dans les années 1950, il était pourtant presque aussi populaire que la rose. On a aussi oublié depuis longtemps qu'il était, au XVIIe et XVIIIe siècle, une fleur très à la mode, sous d'innombrables formes et variétés. Le goût pour les œillets a conduit à l'établissement de collections considérables. C'était avant tout la coloration et le dessin des fleurs qui étaient la passion des collectionneurs. Ils allaient jusqu'à presser et conserver les différents pétales. Très tôt, il existait des écrits sur les œillets et leur culture, et même un « système de Weissmantel », selon lequel on classait les œillets en utilisant comme critères la couleur des pétales et la structure de la fleur. Comme pour d'autres plantes, il y eut un essor au niveau des cultures avec celui de l'horticulture commerciale du milieu du XIXe siècle.

A cette époque-là, l'œillet n'était certainement pas au centre des préoccupations, mais on avait obtenu des résultats : d'abord les œillets remontants (qui fleurissent en hiver) ensuite les œillets cultivés qui ont été créés en Amérique ; ce sont ces derniers qui faisaient que cette fleur coupée attrayante obtenait la faveur du grand public. En se penchant sur son évolution, on remarque que le moment où on a commencé à la cultiver, ne remonte pas aussi loin dans le temps que pour la rose. Mais l'œillet a une histoire internationale intéressante.

Les œillets remontants, cultivés avant tout dans le but de les faire fleurir en hiver (pour la première fois à Lyon en 1835), étaient à l'origine de leur succès. En remontant plus loin dans le temps, on rencontre quelques espèces, par exemple les œillets de poète bisannuels, une plante de jardin très ancienne, ou bien *Dianthus chinensis* et les *Dianthus heddewigii* qui sont à l'origine des plantes décoratives provenant des jardins chinois. L'œillet de gardner et l'œillet Chabaud *D.caryophyllus* font partie des formes traditionnelles qui sont nées de croisements. Des espèces résistantes comme l'œillet des fleuristes et l'œillet mignardise sont, parmi d'autres, connus par leur présence dans les jardins rustiques, mais on les utilisait moins comme fleurs coupées.

Pour atteindre les qualités actuelles, un long chemin était à parcourir ; c'étaient en particulier les cultivateurs français et américains, plus tard les Anglais, les Hollandais et les Allemands, qui furent actifs dans ce domaine. Malheureusement beaucoup de variétés et de formes se sont perdues en chemin, contrairement à ce qui s'est passé avec les roses dont la plupart des anciennes variétés ont été sauvegardées. Où existent encore les anciennes variétés d'œillets Chabaud et d'œillets remontants aux couleurs aussi passionnantes que Heliotrope, gris d'ardoise ou même velours brun foncé ? Où est resté l'œillet 'Mikado' avec sa coloration gris acier ? Tout cela est perdu et oublié !

La forme des œillets rappelait leur caractère sauvage et les dessins des pétales étaient extrêmement variés : sous forme de hachures, de rubans, d'ombres, d'encre de Chine, de flammes et même de taches. Ils étaient si contrastés et si variables qu'on a utilisé ces qualificatifs pour désigner des groupes : l'ourlet, le tiret, le ruban, les flammes, la salamandre, l'encre de chine et l'œillet de Grenoble. Il est certain que ces types d'œillets s'avèrent tout à fait inadaptés de notre point de vue actuel. Ils n'auraient pas de valeur sur le marché. Toujours est-il que leur évolution sur le plan des cultures nous donne des renseignements sur leur nature propre.

Les fleurs favorites de l'actuelle horticulture, les œillets hybrides « Spray » sont malheureusement devenus parfaitement ennuyeux à cause de leur énorme production de masse. Leurs sœurs, les œillets nobles, ont connu un sort assez semblable, bien qu'ils aient mérité un meilleur destin. En effet, peu de fleurs peuvent réunir en elles une telle splendeur artificielle tout en laissant transparaître leur base naturelle. Sous cette forme hyper-cultivée, ils servent très bien tout ce qui est décoratif, ne serait-ce qu'à cause de leurs couleurs qui attirent parfois le regard en jouant sur des nuances raffinées.

L'œillet n'a pas un contenu symbolique analogue à celui de la rose, et des compositions qui essaient de faire ressortir cet aspect, ne sont pas vraiment compréhensibles et peu concluantes. En revanche, on arrive bien à nouer des bouquets à l'ancienne, si populaires à l'époque. Dans le temps, on était très fier des premiers œillets remontants ou cultivés ; pour le « bouquet à fleurs naturelles » qui se pratiquait alors en Allemagne, ils étaient, avec la fin de l'assemblage au fil de fer, les bienvenus. Voici quelques compositions de l'époque :

- des œillets avec diverses fougères
- des œillets avec de *Asparagus plumosus* et *A.sprengeri*
- des œillets et de *Medeola* (*Asparagus asparagoides*)
- des œillets et du lilas
- des œillets et des orchidées.

Et comme variation tout à fait prétentieuse des années 1950 : œillets et iris.

Si on veut se lancer là-dedans, il faut nouer ces bouquets comme cela se faisait il y a 40 ou 50 ans.

Mais cela n'est qu'un côté du bouquet d'œillets.

L'histoire des œillets permet l'élaboration d'autres formes de bouquets : des bouquets composés d'œillets rustiques odorants ou sauvages ; de nombreuses espèces d'œillets vivaces avec leurs variétés blanches, crèmes, roses clairs, roses foncés, jusqu'au bordeaux foncé qui vire presque vers le brun. A côté de cela, il y a aussi des variétés à pois, à traits ou simplement unicolores. Il est aussi attrayant de juxtaposer et de réunir dans un bouquet des variétés

Un bouquet d'œillets. La souplesse et le caractère robuste des œillets permet beaucoup de choses, comme sur cette illustration une gerbe dynamique dans une coupe peu profonde.

Des œillets en hiver. Les premiers œillets remontants, fleurissant en hiver, étaient quelque chose de sensationnel. On peut chercher à faire revivre un peu de cette impression.

Un bouquet de tulipes. Un bouquet qui est uniquement composé de tulipes, est beau et vivant. Les tiges élancées s'élèvent avec les fleurs qui vont s'agrandissant ; des images toujours changeantes se forment.

cultivées et des variétés sauvages, dans le caractère de leur région d'origine, l'espace méditerranéen : ce sont des gerbes à la fois simples et exigeantes, gaies, et qui permettent d'oublier une fois pour toutes les œillets fades. La seule chose à éviter, est de couper trop court des œillets à grandes fleurs ; il ne faut pas les coincer dans un bouquet, car il sont vraiment plus que des fleurs ordinaires qui ont tout juste des couleurs un peu étonnantes.

Un bouquet hivernal d'œillets, orange et jaune lumineux avec de la verdure persistante et ses branches vertes claires, peut être aussi fascinant qu'un bouquet d'œillets frais, riche, blanc et vert d'une chaude journée d'été. Les couleurs pastels des œillets, en combinaison avec de jeunes branches grises et scintillantes (feuilles et chatons), amènent, malgré la neutralité des œillets, une douceur printanière. Des œillets ocres, violets et bordeaux foncé complètent et mettent en relief, des couleurs d'automne lumineuses ou déjà affaiblies, ainsi que les structures végétales. Les œillets sont, beaucoup plus encore que les roses, des formes florales cultivées avec art et relativement éloignées de leur nature originelle. C'est pourquoi il est plus facile qu'avec la plupart des autres fleurs, de les exposer, dans une gerbe, à des rapprochements avec des éléments qui leur sont assez étrangers : on peut alors associer des œillets à tige longue à une brassée d'œillets sauvages.

Intégrer à un bouquet d'œillets, vaguement classique, des faisceaux de lignes qui interrompent et soulignent en même temps sa forme ; nouer un bouquet d'œillets avec des herbes de Pro-

Des lis (page de gauche). Un parfum lourd et une fraîcheur distante caractérisent les lis (variété Lilium auratum*). Les plantes hybrides possèdent parfois des fleurs gigantesques qui supportant leur poids, s'étonnent quasiment de leur propre beauté.*

Les éléments additionnels. Ceci est un concept peu avantageux pour toutes ces feuilles et branches qui produisent un effet par leur propre force déterminent souvent le caractère de la plante entière : Nandina, Geranium, Hebe, Epidemium, Pachysandra, Santolina, Sciadopitys, *le lierre,* Alchemilla, *etc.*

vence, des plantes odorantes et des épices. On pourrait encore décrire bien d'autres gerbes qui jouent sur des contrastes de matériaux et de la forme.

Les tulipes

Les tulipes sont les fleurs de printemps les plus hautes en couleur qui représentent les cultures les plus importantes. Cependant, elles risquent de prendre le même chemin que d'autres fleurs coupées, c'est-à-dire perdre leur spécificité saisonnière. Les raisons en sont leur grande production et le décalage par rapport à la période de floraison naturelle qui rend possible l'association avec d'autres fleurs qui n'appartiennent pas à leur saison. On n'en est pas encore là, mais leur existence en août pose problème, car c'est le moment où on achète normalement leurs bulbes.

Le charme de chaque fleur et de chaque plante souffre de l'offre permanente, loin de leur véritable saison ; cependant à ce niveau-là, la tulipe s'en tire encore assez bien. Malgré le verdict « fleur de masse » et vu les quelques variétés, dont les fleurs sont cultivées et commercialisées en très grand nombre, la tulipe sauvegarde assez bien ses particularités.

Chez les tulipes, la richesse en variétés est considérable ; elle remonte à l'introduction des premières tulipes en Europe, dès le milieu du XVIe siècle. 50 ans après, la manie des tulipes commençait à se répandre, et on peut encore aujourd'hui trouver quelques variétés de la classification d'autrefois : les bizarres, les flamandes et les violettes. On les utilisait pour la poursuite des cultures sous le nom collectif Broken-Tulipes. La firme Krelage, mondialement connue, a acheté des collections de ce genre de variétés anciennes pour créer à partir d'elles les tulipes Darwin.

Beaucoup de formes sauvages proviennent d'Asie Mineure ; de là, elles sont venues jusqu'en Europe. On ne peut plus savoir par quels croisements sont nées les tulipes de ces jardins d'Asie Mineure ; en tout cas, elles n'étaient plus des espèces sauvages. Les efforts multiséculaires de culture ont abouti à une multitude de formes, et chaque année on arrive à créer d'autres variétés. Il va de soi que les tulipes ont perdu depuis longtemps leur caractère sauvage ; étant tellement impliquées dans l'horticulture et l'histoire des civilisations, les formes cultivées des premiers temps, mais aussi les formes plus tardives, sont intéressantes et convoitées. Après une période de prédilection pour les variétés avec différents dessins (flammes, traits, deux couleurs), la tulipe unicolore s'impose, rouge lumineux, jaune, rose, blanc et violet. Plus tard s'ajoutèrent de nouvelles formes florales ressemblant aux lis, ainsi que des fleurs à deux couleurs, celles dans des tons intermédiaires et des tons pastels : entre temps, il n'y a plus guère de couleur qu'on ne puisse imaginer pour une tulipe.

Les formes et les variétés anciennes, pour autant qu'on puisse encore les trouver çà et là, sont des fleurs de collectionneurs qui ne correspondent plus aux standards actuels. Malgré cela, il est étonnant de constater le caractère unilatéral des variétés commerciales sélectionnées qui dominent le marche. En général, on ne trouve pas un grand nombre de magnifiques silhouettes et de couleurs des tulipes Rembrandt, Broken et perroquet. Il y a bien évidemment des tulipes perroquet, mais si l'on veut avoir des variétés comme 'Blue Aimable', 'White', 'Blue' et 'Black Perrot', il faut les cultiver soi-même. Il existe aussi de nouvelles variétés, en partie encore inconnues, qui présentent des nuances intermédiaires raffinées qu'on ne trouve pas dans les tulipes courantes, comme le gris-vert-jaune fumé ou le rose-orange qui sont si fascinants qu'il faut les traiter avec respect. De telles personnalités fortes refuseraient de déployer leur influence sans qu'on vienne vers elles. Celui qui sait apprécier leurs particularités, obtient des images et des ambiances qu'on n'oublie pas facilement.

On n'a pas besoin de grand chose pour accompagner les tulipes, quelques rameaux filiformes, du vert hivernal, des branchages ayant le charme du printemps ou bien... rien du tout, seulement les feuilles vertes de la tulipe sur lesquelles se reflètent des perles d'eau ainsi que les fleurs sur leurs longues et belles tiges. On ne droit pas en prendre trop peu ; certes, il n'en faut pas des masses, mais une quantité conséquente. De cette manière-là, les clients apprennent à apprécier le bouquet de tulipes, en partant si possible de variétés inhabituelles de la meilleure qualité. Après avoir été largement ouvertes pendant une longue période, les pétales damassés d'un bouquet de tulipes se froissent un peu et tombent ; si le client ne craint pas ces stades, et s'il est capable d'attendre, il va voir et ressentir des moments de beauté formelle et picturale extraordinaires qui seront sa récompense pour un prix plus élevé et pour sa patience.

Les tulipes sont à la fois statiques et souples, elles sont dominantes, mais peuvent se comporter d'une façon autoritaire ou plutôt communautaire. Leur gamme commence par les petites tulipes doubles de Noël qui ont la forme d'un oeuf de Pâques jusqu'aux tulipes à fleur de pivoine et jusqu'aux hybrides des tulipes Darwin, du blanc jusqu'au violet le plus foncé. La seule couleur introuvable est le bleu pur.

Les tulipes ne sont pas faites pour la fin de l'automne, même si elles sont disponibles à ce moment-là. Si on les utilise si tôt dans des bouquets, elles deviennent tout à fait ordinaires dès le mois de janvier où la fête des tulipes devrait d'habitude commencer. Il n'y a pas que les produits d'importation ou les plantes de serre qui vont bien avec toutes ces formes et couleurs. Les tulipes devraient vraiment attendre leurs accompagnateurs du printemps, cultivées en plein champ. Qu'est-ce qu'un bouquet de tulipes en mars ou en avril sans *Cornus*, *Prunus*, l'euphorbe de printemps jaune, *Doronicum*, *Myosotis*, les fritillaires, *Chaenomeles* et la giroflée ? Rien – c'est presque comme s'il n'y avait pas de printemps.

Les chrysanthèmes

Les chrysanthèmes sont des marguerites qui se conservent pendant douze mois. On peut les désigner comme des fleurs impériales, mais il est tout aussi juste de les considérer comme une beauté dégradée. Leurs espèces d'origine viennent de la Chine et du Japon. En Chine, on les connaît depuis deux mille ans, mais c'est surtout au Japon qu'on les a fait évoluer en les cultivant pendant des siècles. En Europe, on en voit les premières formes dans les jardins de la deuxième moitié du XVIIIe siècle. En 1825, il y avait en France déjà environ 50 espèces.

Quelques décennies plus tard, les chrysanthèmes sont devenus les fleurs à la mode par excellence, possédant un nombre considérable de variétés.

Il existait des formes où la fleur ressemblait à un pompon ou à celle d'une anémone, des formes décoratives, sphériques, japonaises (c'est-à-dire des formes rayonnantes), et bien d'autres, avec des pétales tournés, ondulés et retombants. A partir de 1900, il y eut la mode des grands chrysanthèmes sphériques et décoratifs qui de nos jours ne sont plus du tout aussi attrayants que pendant ces longues décennies au début du siècle. On souhaiterait que certaines variétés anciennes revivent, quelques-unes d'entre elles étaient de toute splendeur. Mais qui peut déjà se permettre la culture de ces grandes formes florales fragiles avec leurs têtes bouclées, blanches, jaune pâle ou citron, couleur de bronze, de chair, de chamois et de mauve ? Les chrysanthèmes décoratifs existent encore, mais ils sont un peu passés de mode, tandis que les petites variétés dominent tous les ans le marché : elles sont simples, à moitié ou entièrement doubles, avec, dans certains cas, de très jolies formes et couleurs.

C'est surtout les variétés à petites fleurs (et même avec des fleurs en miniature) qui évoquent l'aspect des espèces sauvages. La forme de croissance des chrysanthèmes en serre par contre, nuit à cette représentation et ne permet pas d'imaginer le caractère sauvage. Leur port aboutit à des formes longues et raides et n'est qu'un étrange excès. Il ne possède plus rien de la souplesse élastique des chrysanthèmes sauvages, et on peut dire que le charme du port originel s'est perdu pendant le processus de culture. Tout au plus, on peut encore voir des variétés de plein champ, cultivées en automne, qui s'en approchent, comme celles qu'on utilise pour les belles bottes dites « d'asters d'automne ».

La diversité des couleurs est considérable ; en particulier les couleurs de feuilles d'automne des chrysanthèmes possèdent surtout des nuances splendides et toutes sortes de tons pastel. Ce qui manque, ce sont des couleurs bleu ou rouge pur. En revanche, le blanc tout doux et lumineux, le jaune clair, le rose et le champagne font des chrysanthèmes, bien qu'ils soient toujours disponibles, des « fleurs de printemps » qui font volontiers partie, tout naturellement, des bouquets de mars à juin. Or les chrysanthèmes n'ont vraiment rien à faire dans ces bouquets ; ils ne devraient y figurer qu'à partir de l'été, dosés prudemment, pour n'être employés fréquemment qu'à la fin de l'été. Leur utilisation peut alors continuer à travers l'automne jusqu'en plein hiver.

Le doux parfum, des simples chrysanthèmes d'une plate-bande en plein champ, qui émane pendant des journées d'automne ensoleillées, consitute un geste de salutation incomparable de la fin de l'été. C'est à ce moment-là qu'il faut nouer de tels bouquets d'automne qui, volumineux, généreux dans leur parfum et leurs couleurs, disent 'au revoir' à l'été. Peu après arrive l'époque des derniers chrysanthèmes de plein champ, avec de belles variétés et de jolis noms comme 'Novembersonne' (soleil de novembre), 'Herbströschen' (petite rose d'automne) et 'Nebelrose' (rose de brume), avec des feuilles rougies par le gel, et qui forment un ensemble avec des réceptacles et les asters vivaces les plus tardifs.

La séparation avec les chrysanthèmes de plein champ se produit lentement, jusqu'au moment où une nuit de gel anéantit les dernières fleurs. La floraison continue dans les serres, et on y trouve encore beaucoup de variétés pour les bouquets de fin d'automne et d'hiver : des formes décoratives, couleur bronze et or, des formes rayonnantes en filigrane, ayant la couleur du lilas, et les grands chrysanthèmes sphériques, des têtes à perruques, où on se demande comment ont été « fixées » un si grand nombre de boucles sur un si petit réceptacle. On ne doit manquer aucune de ces variétés, et on devrait faire profiter les clients de bouquets splendides, dynamiques ou formels.

L'habitat originel des fleurs qu'on côtoie tous les jours, peut être très révélateur pour le travail avec elles. On ne peut évidemment en tenir compte que dans des cas plutôt rares, mais l'habitat peut donner des indications sur le plan formel ou matériel. Les chrysanthèmes, par exemple, ont leur place dans les buissons et en lisière des forêts de mon-

Un bouquet d'adieu à l'automne. Les chrysanthèmes et les asters vivaces font partie de l'automne, et c'est à ce moment-là qu'ils devraient, jusqu'en plein hiver, rappeler la couleur et le parfum des saisons passées : les variétés et hybrides de Dendranthema indicum (Crysanthemum indicum) *et* Aster ericoides, *les variétés de* Aster novi-belgii, *les feuilles d'érable et de forsythia, etc.*

Des gerberas. Ce sont les fleurs cultivées, de tous les jours et de toute l'année. L'habitude fait qu'on les voit sans problème avec et parmi toutes les autres fleurs. Seules, elles déploient leur caractère qui les rapproche des marguerites. Selon le point de vue choisi, on peut mettre l'accent sur le côté élégant ou sur la simplicité.

tagne. Ils retombent à travers des branches et poussent leurs longues tiges minces, coriaces et souples, vers la lumière. Ils traversent par-dessus des buissons et des arbustes ou se posent devant, plutôt droits, en bouquets. Ainsi on peut accepter cette proposition, en les présentant dans des bouquets d'automne, souples et légers, assemblés spontanément avec des feuilles et des rameaux.

Les gerberas

Autour de 1930, les gerberas étaient encore des fleurs coupées rares et délicates. Ils ne font donc pas partie des plantes cultivées depuis longtemps comme les roses et les tulipes. Ce n'était qu'à partir des années 1890 que le gerbera a été cultivé par les horticulteurs, surtout en Angleterre, en France et en Afrique du Sud où il a été découvert dix ans plus tôt.

De nos jours, elle est une fleur importante sur le plan commercial. L'assortiment standard est riche, et il y a constamment de nouvelles créations qui sont orientées, vers les modes du domaine végétal : la gamme va de fleurs ayant une grande ou même une énorme taille jusqu'aux fleurs doubles, et même jusqu'aux petites fleurs minuscules. La résitance qu'on a maintenant atteint et la stabilité des tiges assez solides n'ont plus rien en commun avec l'espèce originelle.

Malgré cela, le type de gerbera actuel ne renie pas son origine : les plantes aux jolies fleurs rouge orange appelées « marguerites du Transvaal » (Transvaal daisies). Mais il est tellement modifié et stylisé qu'on ne peut pas s'imaginer que ces fleurs aient poussé en pleine nature, aussi lointaine soit-elle.

La forme de base, des plantes hybrides actuelles, était beaucoup plus difficile à cultiver ; elle avait un rendement faible, une résistance moindre et était difficile à manier.

En tout cas, rien ne permet de ressentir la forme cultivée, telle que se présente le gerbera actuel, comme étant dérivée de la forme originelle et de son environnement naturel. Cette classification a plutôt été établie à cause de sa particularité unilatérale et grâce aux résultats de la culture. Entre temps, l'utilisation de ces fleurs, qu'elles soient nobles ou d'un prestige moyen, s'est généralisée, la remarque d'un horticulteur des années 1920, selon lequel, cette plante ne constituerait jamais des cultures importantes en horticulture, ne se confirme pas.

Leur saison dure toute l'année, leurs fleurs ont toutes les couleurs, sauf le bleu et le violet pur. Au début de leur développement, elles ne fleurissaient qu'en été, plus tard on réussit à prolonger la floraison qui allait du printemps à l'automne, pour atteindre enfin le rythme sur toute l'année. Le caractère des fleurs montre beaucoup de variations, des variétés doubles jusqu'à celles qui se rapprochent un peu de la plante sauvage.

Le but de la culture consistait à obtenir des tiges fermes et droites, des proportions florales équilibrées et un caractère robuste, et ainsi le gerbera a atteint une certaine « neutralité ». Ce trait caractéristique de « l'ouverture vers tous les côtés » lui donne une position d'omniprésence. On le choisit autant pour les bouquets de Noël que pour ceux du printemps, de l'automne et même de l'été. Ainsi on peut le voir avec des tulipes, des narcisses et des iris, avec des freesia et des campanules, avec des chrysanthèmes, des statices et du lilas. Elle est, un peu comme la rose, devenue une institution permanente, mais sans le statut particulier de celle-ci ; sauf lorsqu'une nouvelle variété très frappante attire les regards pendant une courte période.

Tous les caractères des fleurs, peuvent trouver leur expression seuls, peu importe la catégorie de personnalité dans laquelle nous les rangeons. Ce qui est typique d'une famille, d'une espèce et même d'une variété, devient de toute façon visible d'une manière harmonieuse.

Qu'on regarde la fleur isolée ou un ensemble de fleurs, le gerbera ne perd rien de son charme. Peut-être gagne-t-il à être présenté en grand nombre. De cette façon-là, ses tiges droites, fermes, peut-être légèrement recourbées ainsi que la multitude des fleurs rayonnantes typiques des composacées, ne deviennent pas rigides, mais composées de sorte à ce qu'il y ait entre elles un jeu, un espace aérien, qui permet aux pointes satinées des pétales de ne pas rester accrochées.

Le « feuillage de marguerites » robuste et grossier, est pour lui un beau partenaire qui lui enlève un peu de son élégance artificielle et qui le transforme un peu en ce qu'il était dans les savanes en Afrique du Sud : la lumineuse « marguerite de Barbeton » (Barbeton daisy).

La souplesse du gerbera qui lui permet d'osciller entre élégance et simplicité, le rend apte à s'intégrer dans un grand nombre de bouquets différents. Ses fleurs sont toujours prêtes à assumer leur place. On doit seulement veiller à ce qu'ils ne deviennent pas trops courts, que la tige ne soit pas trop raccourcie ; autrement, ces fleurs robustes se vengent en donnant un caractère lourd, terne et immobile à de tels bouquets.

Les lis

Parmi les plus belles familles des fleurs destinées à être coupées, se trouvent les lis. Parmi les 80 espèces, il y en a qui sont rares, difficiles à cultiver ou guère disponibles, mais aussi beaucoup d'espèces sauvages ainsi que des plantes croisées et hybrides qui font partie intégrante de l'horticulture. Ils peuvent avoir de petites fleurs comme *Lilium pumilum* ou *L.martagon*, des fleurs moyennes comme chez les plantes hybrides d'Asie et *Lilium umbellatum*, et aussi de plus grandes comme chez les plantes hybrides orientales, le lis royal et le *Lilium longiflorum*. Ils ont tous en commun leur période de floraison, du début de l'été jusqu'en septembre ou en octobre, selon l'espèce et la variété.

Un nombre considérable de variétés, en particulier celles des formes hybri-

Un bouquet de lis. Le Lilium longiflorum *qui fleurit normalement en été, peut être désigné comme le « lis de Pâques ». Ces lis étaient parmi les première plantes cultivées en serre, et dès le début du siècle, on les a mis en vente en grand nombre pendant cette saison-là.*

des asiatiques comme 'Destiny', 'Chinnock', 'Connecticut King' et bien d'autres, existent toute l'année, de même que la variété 'Enchantment', une création qui date de 1944, avec son orange capucine lumineux et ses fleurs verticales. Comme elle est jolie dans des bouquets de jardins d'été, et comme ce lis de serre qui est parmi les plus cultivés, nous paraît triste lorsqu'on le recontre en décembre ou en janvier, enveloppé dans une feuille en plastique. Il est alors mou, certainement pas en pleine floraison, et sa couleur n'en est pas une : un orange qui manque de lumière et de soleil. Cela vaut pour d'autres lis.

Il existe beaucoup de très bonnes variétés de lis cultivés en serre, dont les fleurs devraient, à partir de mars (Pâques), avril ou mai, faire partie de ce qui est proposé comme fleurs coupées ; ces lis sont les premiers signes d'un long été qui peut même durer jusqu'en novembre. Il est plaisant de voir réapparaître, dans le rythme de l'année, des fleurs qui n'étaient pas présentes pendant une assez longue période, et qui commencent leur saison.

Mais pour cela, elles doivent d'abord disparaître afin de préparer leur nouvelle apparition, comme les lis de printemps autour de Pâques, *Lilium longiflorum* et les petites clochettes du lis martagon *Lilium pumilum*. Ils ont alors une qualité suffisamment stable qui permet aux boutons de fleurir ; ainsi disparaît l'expression hivernale misérable.

Les lis frappent surtout par leur port droit et par la position des fleurs qui peuvent être en grappes, latérales, petites ou grandes, en forme d'entonnoir ou de turban. Bien qu'ils soient des fleurs cultivées en masse, ils n'en donnent pas du tout l'impression, du moins en ce qui concerne le potentiel de séduction. Leur faculté de produire des effets impressionnants n'est souvent pas utilisée, et on les voit, réduits à une forme quelconque, comme simples éléments colorés d'un bouquet.

Si on pouvait observer dans la nature la croissance d'espèces très différentes, on verrait de nombreuses différences dans leur position, leur densité et la formation de leurs communautés. Nous trouvons ainsi des fleurs isolées, comme des bijoux précieux, dans les parties ensoleillées des forêts, des candélabres fiers et nobles sur les pentes de l'Himalaya ou bien des éléments diffus et dispersés en lisière des forêts ou dans les prés. On peut choisir la façon dont on utilise les lis ; ils peuvent être seuls et puissants, privilégiés et fragiles, faisant partie de gerbes formelles ou naturelles, bien construites, dans lesquelles la fleur seule exprime sa personnalité d'une façon dominante. Mais ils trouvent aussi leur place dans des bouquets dynamiques, composés naturellement ou décoratifs ; leur rôle y sera plus discret, mais ils vont toujours réclamer leur propre statut et leur place. De petits lis qui, sous leur forme sauvage, se présentent souvent dans une cohue et un amas de pétales en mouvement, peuvent même vivre dans des bouquets réellement abondants, ce qui ne veut pas dire qu'il faille les nouer avec un grand nombre d'autres fleurs différentes. Quelques formes calmes, bien choisies en fonction de son caractère, font apparaître la forme typique des pétales. Une brassée de lis à petites fleurs, avec rien d'autre qu'un peu de graminées et de rameaux, peut être très impressionante.

Le lis est une fleur d'été qui doit figurer dans les bouquets de cette saison. La plupart des plantes hybrides, cultivées en grand nombre (variétés asiatiques ou Aurelianense) possèdent des couleurs d'été lumineuses : jaune citron et jaune d'or, orange clair et foncé, rouge cresson rayonnant et bordeaux. D'autres, en particulier les fleurs hybrides en forme de trompette, possèdent des couleurs d'albâtre qui vont du blanc et du pastel jusqu'au rouge foncé. Ces plantes convoitées exhalent, pendant les chaudes journées d'été, à des endroits un peu frais du jardin, un parfum merveilleusement lourd, et elles continuent à le faire dans les bouquets. Les reines parmi les lis sont les plantes hybrides orientales comme le *L.auratum*, le *L.speciosum* etc., à côté du lis *Cardiocrinum giganteum*, un lis qui peut avoir une longeur de deux ou trois mètres, mais qui ne se trouve guère en vente. Il existe peu de fleurs qui exigent avec une telle insistance la mise en valeur de leur forme si précieuse et si noble, donnée par leur nature.

Le feuillage

Un bouquet n'atteint sa perfection que par le choix judicieux de feuilles de graminées et de branches, surtout lorsque la verdure et maintenir les fleurs se complètent le mieux possible. Souvent les feuilles, etc., apparaissent uniquement comme éléments additionnels, un remplissage optique et « technique », donc quelque chose de secondaire. Quelque soit le lien entre « la verdure » et les fleurs, celles-ci forment un ensemble avec les branches, les ronces, les herbacés et d'autres parties végétales.

Selon le point de vue qu'on choisit, les éléments verts peuvent signifier des choses très différentes : un supplément, un équilibre, une intensification, un soutien, un élément important ou sans importance. On regarde rarement la forme et la couleur de la feuille, de la graminée et de la branche avec la même intensité que celles des fleurs ; on n'y prête pas la même attention, et si on le fait, c'est toujours en lien étroit avec la fleur. On ne remarque presque jamais que les parties végétales qui ne fleurissent pas, peuvent très bien avoir une valeur en elles-mêmes, grâce à toutes leurs nuances de vert – jaunâtre, rougeâtre, bleuâtre, gris et blanc –, et aussi grâce aux multiples types et mouvements des feuilles. Certes, leur expression et leur influence ne sont pas aussi voyants, mais lorsqu'on utilise correctement les traits caractéristiques de ces matériaux, on ouvre un vaste champ de possibilités créatrices.

Même un vert uni, provenant de parties végétales qui servent à beaucoup de choses, ce qui les rend inintéressantes et fades, peuvent susciter notre intérêt. *Asparagus sprengeri*, la fougère du type *Arachnoides*, le petit palmier du type *Chamædorea*, *Xerophyllum* et l'eucalyptus ne sont donc pas, de par leur nature, ennuyeux ou laids ; c'est seulement leur utilisation permanente et irréfléchie pendant des années, qui a modifié, négativement, la perception que nous avons d'eux.

Des « éléments additifs botaniques » rares, aussi fascinants, attrayants et étranges soient-ils, ont leur place au même titre que *Asparagus sprengeri* ; leur importance est la même.

La partie végétale, vue isolément, est d'abord tout à fait neutre. C'est seulement l'usage qu'on en fait le point de vue sous lequel on la regarde, qui décident de son acceptation et de sa signification.

Le choix d'éléments verts coupés, en provenance de serres chaudes ou froides, est, selon les marchés, satisfaisant. Pendant le semestre d'hiver, beaucoup de choses arrivent de l'espace méditerranéen, de l'Afrique du Sud et de l'Australie. Au niveau de l'offre, on oublie un peu le grand nombre de vivaces et de branchage de plein champ qui fournissent des éléments verts de première qualité. Celui qui a la possibilité de faire ses propres plantations, devrait en profiter ; il existe beaucoup de choses qu'on ne trouve presque jamais, et qui peuvent enrichir et compléter un bouquet. Le feuillage seul peut déjà créer des images de bouquets très impressionnantes, même si l'aspect de la couleur reste très retenu.

Un petit choix d'éléments, non fleuris, cultivés en plein champ

Artemisia ludoviciana, *A. pontica*, *A. vallesiaca*.
Asparagus verticillatus, *A. officinalis* et *A. o.* var. *pseudoscaber*, *A.acutifolius*.
Les plantes hybrides du *Bergenia*, les variétés 'Oeschberg' et 'Abendglocken' etc. présentent un rouge hivernal attrayant.
Epidemium pinnatum 'Elegans', *E.warleyense*, *E.perralderianum* ; ces variétés présentent un vert hivernal ; bien d'autres ne sont vertes qu'en été.
Euonymus fortunei 'Emerald Gold', 'Gracilis', 'Silver Queen', *E.fortunei* var. *radicans*.
Euphorbia myrsinites.
Hebe pinguifolia, *H.armstrongii*, *H.buxifolia*.
Hedera helix dans des formes et variétés comme 'Conglomerata', 'Aureovariegata', 'Glacier', 'Goldherz'. Des espèces et variétés à grandes feuilles comme *Hedera colchica*, *H.colchica* 'Dentata Variegata'.
Hosta fortunei, *H. plantaginea*, *H. sieboldana*, *H. ventricosa*, *H. albomarginata*, dans les formes et variétés.
Hypericum calycinum.
Iberis sempervirens.
Lavandula angustifolia
Ligularia dentata, *L. veitchiana*, *L. przewalskii*.
Lysimachia clethroides.
Pachysandra terminalis et *P. terminalis* 'Variegata'.
Salvia officinalis, *S. officinalis* 'Purpurascens'.
Santolina chamaecyparissus, *S. rosmarinifolia*.
Stachys lanata.
Tellima grandifolia.
Thalictrum aquilegifolium, *T. flavum* et *T. flavum* ssp. *glaucum*, *T. dipterocarpum*.
Vinca minor, *V. major*, aussi dans des variétés et des formes panachées de jaune et de blanc.

Les branchages

Akebia quinata.
Buxus sempervirens avec variétés et formes.
Cornus alba 'Elegantissima', 'Spaethii', 'Argenteomarginata'.
Cotinus coggygria 'Royal Purple'.
Fagus sylvatica 'Riversii'.
Ligustrum ovalifolium 'Aureum'.
Lonicera henryi.
Prunus cerasifera 'Pissardii'.
Rosa glauca.

A partir d'une multitude de graminées, de fougères, de plantes persistantes, de conifères et de plantes annuelles, ont peut élargir l'assortiment d'éléments verts ; il s'agit ici de faire ses propres expériences en visitant des pépinières bien achalandées en pépinières et en vivaces ; on peut aussi explorer les jardins botaniques et des jardins-témoins pour y trouver des trésors.

Des thèmes de bouquets inspirés de paysages

Nous ne voulons pas d'emblée aborder les thèmes, sous l'angle de la sociologie des plantes qui ont un lien avec des paysages. Pour les bouquets, cet aspect n'a pas la même valeur et n'exerce pas la même influence que pour des travaux montés sur fil de fer pour les planta-

tions. Une idée de base qui s'inspire de paysages, ne rajoute rien aux formes habituelles des bouquets. C'est en dehors de ces conceptions standards qu'elle peut constituer un point de départ passionnant.

Pour éviter les malentendus : il ne s'agit pas d'aller chercher les végétaux « à l'extérieur », et surtout pas d'aller les récolter dans des régions particulières ou étranges ; il s'agit plutôt de saisir l'expression d'un espace de vie et de s'en faire une image comme base d'interprétation.

Lorsque le matériau seul, tiré d'un certain paysage, suggère le thème d'un bouquet, il ne s'agit pas forcément d'un ouvrage paysager. Des compositions très typiques des landes ou de la montagne par exemple, ont avant tout des rapports de sociologie végétale : les herbiers, *Calluna* et *Juniperus* ou la gentiane, les branches d'*Arcostaphylos* et des pins.. Ce sont des communautés végétales qui forment certes un tout, à partir de leurs éléments, mais qui ne

Des perces-neiges (en haut). Des morceaux de branches mortes, recouvertes de mousse verte, de l'herbe d'ornement hivernal ; des feuilles de chêne, du lierre et toutes sortes de restes venant du sol de la forêt ; tout cela va bien avec les perces-neiges qui, avec leurs bubles entourées d'un peu de mousse, apportent une ambiance lumineuse.

Des narcisses (en bas). Des prairies méridionales où les narcisses fleurissent vers la fin de l'hiver, invitent à cueillir une brassée de ces fleurs au parfum délicieux. Mais on peut aussi travailler avec son regard pour ressentir l'impression qui permet de composer ce bouquet : des Narcissus tazetta*, du lierre, des chatons, du* Smilax *et quelques feuilles mortes.*

Un bouquet champêtre. Avant que le paysan, fin mai, ne fauche l'herbe dans ses prés, on lui demande de pouvoir prendre quelques brassées de fleurs. Ce sont des plantes sauvages domestiquées dont le développement a été interrompu par le fauchage.

Des fleurs des jardins et des champs. Les tournesols et les phacelies sont pour ainsi dire des voisins ; ils ne sont plus sauvages, mais cultivés. Le caractère naturel qu'ils possédaient à l'origine, n'a pas été réprimé, mais ils l'ont conservé de sorte qu'ils peuvent créer de belles ambiances qui se suffisent à elles-mêmes.

Un paysage de printemps (à gauche). Au moment de la floraison du genêt, lorsque les jeunes branches porteuses de feuilles sont suffisamment dures, on arrive à composer des bouquets qui puisent dans l'ambiance des forêts en plaine et des parcs ; quant à leur forme et à leur caractère, ils s'adaptent au matériau respectif.

Un bouquet champêtre. Des réceptacles provenant de graminées, des fleurs des champs et de mauvaises herbes rayonnent, en automne, par leur propre force. Ils n'expriment pas seulement la mélancolie de la fin de l'été, mais font aussi allusion à la récolte, au ramassage et à la conservation. En même temps apparaissent des structures qui évoquent le flétrissement et la survie.

donnent pas forcément l'impression d'un paysage. Pour intégrer dans une gerbe un paysage vu ou imaginé, on a, en fin de compte, seulement besoin de plantes qui ne font pas obstacle à cette intention, indépendamment de leurs liens sociologiques.

Ce qui est important, c'est l'évocation topographique qui peut être mise en œuvre par des matériaux très différents. La plupart des fleurs, des branches, des herbacées et des feuilles employées se trouve dans le commerce, quelques rares éléments réellement sauvages complètent le choix.

Les matériaux et la représentation qu'on se fait du paysage, déterminent le type de gerbe qui visualise l'expression de ces composantes. Comme les travaux sont aussi divers que les points de départ, on évite des images stéréotypées si l'on considère le concept de paysage comme étant porteur d'une grande diversité. Cela peut aller de paysages vierges jusqu'aux paysages cultivés à l'extrême, de paysages de montagne jusqu'aux paysages tropicaux. Leur mise en valeur et les formes de cultures qui y apparaissent, apportent des aspects supplémentaires intéressants, comme on peut par exemple le voir dans des bouquets influencés par le monde rural.

Un paysage de forêts en plaine par exemple, peut être caractérisé, surtout au printemps, par un vert clair et saturé par le jaune clair de *Primula elatior*, par la présence d'anémones blanches, de *Mercurialis* verdâtre etc.

Un bouquet qui a comme thème ce genre de paysage, sera, en premier lieu, composé de feuilles et de verdure lumineuses et ne contiendra qu'en petites quantités des fleurs douces et claires. Son moyen d'expression principal est la structure soutenue par des lignes construites d'arbustes et des branches. On intègre alors dans cette structure et dans les surfaces vivantes vertes claires de petites fleurs tendres, dignes d'être protégées. Il s'agit là, non pas de fleurs prises dans ce paysage, mais du contenu caractéristique de toute l'entité, qu'on peut obtenir en utilisant des combinaisons végétales très diverses.

La forêt vierge, même si elle se trouve « seulement » dans un jardin botanique, possède un fourré constitué de formes et de couleurs de silhouettes bizarres, décoratives et faisant appel à l'imagination. Il suffit alors de laisser tout cela agir sur soi-même sans idée préconçue. Sans posséder un « savoir précis » ni de « bonnes connaissances », on voit s'enchevêtrer tous les éléments végétaux, aussi prononcés soient-ils. A partir de cette impression, on peut développer des images de bouquets qui possèdent une trame de formes et de couleurs vigoureuses, avec des lignes qui se croisent.

Un paysage méridional de collines, lumineux et scintillant, peut engendrer des bouquets durs, mais aussi leur contraire. Il y a là des lignes comme du verre coupé ou de l'argent forgé qui se trouvent à côté de fleurs très colorées en papier de soie. Est-ce là un phénomène réel ou imaginé ? Cela n'est pas important ; la suggestion doit venir uniquement de la forme de la gerbe et du choix des fleurs.

Des bouquets sauvages proches de la nature

Nous ressentons un bouquet comme étant proche de la nature (ou naturel), s'il est noué, sans trop de moyens artificiels et dans une forme peu construite, à partir de vivaces, de fleurs annuelles et de verdure, le moins cultivées possibles et des plantes sauvages. Il s'agit de bouquets petits ou volumineux, d'une certaine façon généreux, et qui ne sont pas influencés par un point de vue décoratif. Ils ne se forment pas à partir de l'idée d'un ornement, mais d'une ambiance végétale qui se crée libre-

Des éléments originels. A gauche : Percevoir et regarder, cueillir et tenir, ramasser et nouer – ce sont des gestes qui décrivent un procédé global et spontané.
A droite : Ce bouquet impulsif n'est pas la reproduction d'un motif rencontré dans la réalité. Il est plutôt une étude de la croissance linéaire et filiforme des laîches et des herbes d'ornement qui se densifient par endroits.

Une ambiance naturelle. On atteint le mieux un statut très proche de la nature si on met en œuvre une évolution impulsive des activités comme « percevoir », « tenir » et « nouer », tout en respectant les conditions particulières qui sont liées à chacun des gestes.

Des personnalités végétales. Dans de petits bouquets noués avec prudence, les mauvaises herbes ou les herbes sauvages expriment leur personnalité d'une façon étonnamment prononcée.

ment. Celle-ci peut avoir un arrière-plan paysager, mais ce n'est pas toujours nécessaire. Beaucoup d'éléments différents, provenant des jardins et des serres ; ainsi que des plantes d'importation, entrent en ligne de compte, pour nouer ces bouquets sauvages naturels.

A première vue, il ne semble pas y avoir de règles, car ces bouquets ne se constituent pas selon les principes de composition connus portent sur les proportions et la façon de réunir les fleurs. La structure, à la base d'une gerbe de ce genre, est fondée sur une prise de position subjective face aux matériaux et à la situation dans laquelle se trouvent, au moment même, les fleurs et les autres parties végétales.

L'intention, l'inspiration et la mise en œuvre font partie d'un processus global. Le résultat auquel on aboutit est soumis à des changements permanents qui dépendent à leur tour des évolutions de la constellation du départ. Il ne peut pas être question d'une répétition, d'une composition où on recrée, d'après ce qu'on a ressenti, des formes vues ou pratiquées. Cela ne peut pas aboutir à une situation spontanée. Ici, les recettes et les modèles qu'on donne ou qu'on reçoit, ne comptent pas. Chaque bouquet doit être perçu d'une façon directe et nouvelle, au même titre que les ambiances naturelles qui, même si elles ne se trouvent que dans un chassis ou dans un coin de serre, se présentent différemment tous les jours.

Une fleur isolée qui, hier, était encore un bouton discret, et qui s'est maintenant épanouie, décale l'équilibre des formes et des couleurs d'un ensemble tout autant que quelque chose de fané ou quelque chose qui s'élance tout d'un coup ou tout autre événement de croissance analogue. Le matin et le soir présentent des couleurs et des proportions différentes. L'enchevêtement d'un grand nombre de plantes différentes apporte des éléments attrayants qui ont leur spécificité esthétique.

On peut alors montrer ce qu'on a vu soi-même, car le véritable processus ne se situe pas au niveau du choix des végétaux ni de la composition du bouquet, mais dans le regard conscient qui est le point de départ pour des réalisations individuelles.

L'essentiel est d'obtenir un contenu sans y mêler des points de vue rétrospectifs et sentimentaux. Quoi qu'il en soit, on ne peut pas réaliser une intention au niveau des bouquets naturels, en se rattachant, sur le plan optique, à des modèles qui existent.

Des bouquets composés de mauvaises herbes

Nous refusons notre attention à la plupart des plantes qu'on appelle les « mauvaises herbes » ou, avec plus de sympathie, les « plantes sauvages ». Comme elles sont mal vues dans l'agriculture ainsi que dans l'horticulture – ce qu'on peut comprendre – elles ne sont pas non plus considérées par le fleuriste comme matériaux valables. Mais même si on fait abstraction de cet aspect, cette antipathie semble logique, vu qu'elles ne sont pas, à quelques exceptions près, particulièrement intéressantes au niveau de la forme ni du port, pour ne pas parler de l'effet de leurs fleurs. C'est à cause de leur port plutôt indifférent et le fait qu'elles se fanent vite,qu'elles donnent un image peut attrayante... et d'ailleurs, qui voudrait vraiment des bouquets de mauvaises herbes ?

Ces herbes ne possèdent donc pas de qualités spécifiques qui attirent notre attention, si ce n'est que la position marginale qu'on leur a attribuée. Certaines plantes en provenance de ce groupe ont reçu une étiquette si nette, qu'il est impossible de leur attribuer une autre valeur. Cette image penche très nettement vers le côté négatif, même si l'on peut concevoir, avec un regard plus neutre, que l'ortie, par exemple, peut quand même être assez belle.

En les regardant sans idée préconçue, les mauvaises herbes nous montrent quelle peut être la substance qui se trouve dans des formes simples et discrètes. On ne peut certainement pas les utiliser pour des bouquets à la mode, mais leur influence, peut être très subtile, voire raffinée, lorsqu'une seule espèce est représentée en grand nombre dans un bouquet.

Les gerbes nouées de mauvaises herbes peuvent facilement transformer en leur contraire les préjugés qui font que ces plantes sont considérées comme étant peu importantes, sans substance et réellement négatives. En faisant ressortir, par le choix réfléchi des matériaux, les particularités d'un bouquet, le verdict « sans importance » peut être modifié et supprimé. Cela peut donner des images splendides, comme dans un bouquet baroque composé de chardons (*Sonchus*) ou de *Vicia cracca*, dans les formes d'orfèvrerie, que produisent les orties blanches, dans les bouquets filiformes composés de ronces avec *Fumaria* etc.

L'élément le plus important en ce qui concerne ces bouquets, est le fait de bien saisir les traits caractéristiques de chaque « mauvaise herbe ».

Il s'agit de trouver les traits les plus marquants et les qualités essentielles d'une plante, sur lesquels on peut construire son ouvrage. Voici quatre plantes pour illustrer ce propos :

Vicia cracca (la vesce sauvage)
bleu-violet, grimpant sur d'autres plantes, aux tiges élancées qui s'enchevêtrent en formant des pelotes denses et souples.

Polygonum aviculare (le persicaire)
rose et blanc, discret, très ramifié, horizontal jusqu'à mollement vertical ; les lignes formées par les tiges et les pédoncules ressortent.

Capsella bursapastoris (la bourse de pasteur)
blanche, discrète ; des cosses accrochées à de longues tiges minces donnent une impression aérée, filiforme ;

Cardaria draba
Des fleurs qui ressemblent à des ombelles blanches, une impression d'écume dense et douce se dégage des fleurs ; un effet de masse.

Puisqu'un grand nombre de mauvaises herbes est étroitement lié, de par ses origines et sa provenance, aux plantes cultivées, il nous est permis d'en déduire d'autres possibilités pour nouer des gerbes. Citons ici le célèbre bouquet champêtre de seigles, de coquelicots et de bleuets, des bouquets verts de folle avoine, de *Polygonum* et des espèces d'*Atriplex*, les gros bouquets de fausse camomille, de feuilles de maïs et de cerfeuil sauvage. Ces bouquets de mauvaises herbes peuvent être modifiés de sorte qu'il y ait un contraste encore plus fort entre mauvaises herbes et plantes cultivées. Cela veut dire que ces dernières ne sont plus prises dans les champs, mais qu'elles viennent du jardin et de la serre. Cela conduit à des bouquets contrastés, intéressants et généreux. Toutes ces gerbes peuvent avoir en commun le caractère dominant des mauvaises herbes :

- une bonne quantité de bourses de pasteur, associées à la giroflée et aux godétias ;
- du gaillet en fleurs ou fané avec des roses et de l'aneth ;
- de la vesce sauvage avec des pois de senteur, de *Thalictrum* et de *Veronica* ;
- de la fausse et de la véritable camomille avec des cosmos, des dahlias et des asters.

Bouquets cueillis en chemin

Un bouquet peut se créer lors d'une promenade à travers les champs, les prés et à la lisière de la forêt. On n'est pas obligé de faire vraiment cette promenade, ni de cueillir réellement les fleurs : cela peut se passer dans l'imagination, ce qui permet de trouver la forme et le matériau.

Les bouquets « cueillis » ou les bouquets de jardin se classent aussi parmi les gerbes naturelles, mais qui s'orientent moins vers la nature sauvage que vers les espaces cultivés comme les jardins et les paysages aménagés, dans un sens très large. Le bouquet « cueilli » est un miroir du jardin, c'est-à-dire un peu de « nature sauvage », mais surtout « un bouquet de culture ». Toutes les composantes peuvent être choisies dans ce qui existe, selon des combinaisons bien réfléchies, ou bien simplement cueillies dans les massifs de fleurs.

Le charme de tels bouquets réside dans la situation des lieux d'orgine respectifs, et dans les relations entre les fleurs qui s'y trouvent. Des rencontres inattendues peuvent s'y produire, parce qu'il existe, dans tous les jardins, des particularités surprenantes, qu'elles soient voulues ou fortuites. Le choix

des plantes peut être unilatéral ou diversifié, selon la saison et les conditions extérieures rencontrées. La forme du bouquet découle de tels facteurs. Un classement des caractères d'après certaines normes n'est pas nécessaire, il est remplacé par les positions des végétaux existants.

La création de gerbes à partir d'un paysage de jardin, ne fait normalement pas partie des réalités quotidiennes. Il suffit de saisir de temps en temps l'occasion de la faire, à condition que le savoir-faire et la sensibilité soient suffisamment développés pour cette activité. Les images du jardin se créent par le fait de passer d'une fleur à l'autre, de réunir des couleurs et des formes et déterminent cette action. Si l'on perd ce contact, les images et les représentations deviennent de plus en plus pâles, et l'on risque d'oublier les rencontres entre les végétaux qui font la richesse d'une telle gerbe.

Quel jardin est favorable aux bouquets cueillette ? N'importe lequel : des plantations de vivaces, des massifs de fleurs d'été, des coins de serre, des parties sauvages du jardin, les restes de plantations sous chassis, les jardins potagers et la nature environnante. Un terrain qui a été aménagé d'une façon très personnelle, avec des parties riches et variées, présente le cas idéal, mais on peut aussi s'étonner de l'effet que peut aussi avoir un petit nombre d'espèces et de couleurs.

Ces bouquets devraient aussi être présents dans les magasins à partir des fleurs disponibles grâce aux arrivages quotidiens. Une fois qu'on a réussi à se faire des représentations et à développer des impulsions grâce aux études du jardin, ce n'est pas difficile de transposer l'expression des plantes des massifs ou de la pleine nature, sur les bottes de fleurs destinées à la commercialisation, car ce n'est pas le matériau, mais avant tout la façon de voir, un peu différente, qui transforme les choses.

Un arrangement provenant du jardin (à gauche). Un grand nombre de plantes différentes apportent leurs qualités spécifiques qui font que ce bouquet est vivifié par les rencontres les plus diverses, qu'elles soient attendues ou inattendues.

*Des bottes (à droite). Elles sont composées de lavande, d'*Artemisia*, de* Cistus*, d'*Hyoscyamus *et bien d'autres herbes méridionales qui poussent le long des chemins et des places ; elles incitent à transformer nos perceptions.*

Comme l'assortiment en fleurs coupées d'un magasin est composé de multiples éléments d'origines très diverses, des réactions spontanées face à cette diversité peuvent être un enrichissement supplémentaire.

Des tubéreuses et du jasmin (page de gauche). Ils se sentent étrangers dans cette gerbe mélancolique. Une rose fait aussi partie des dernières fleurs ; d'une façon souveraine, elle crée avec ces fleurs un lien familier ; la rose, la tubéreuse et le jasmin suggèrent ensemble, par leur parfum commun, le dépérissement des autres végétaux.

Des correspondances entre les fleurs. Ici toutes sortes de fleurs sont rassemblées, de saisons et d'origines diverses. Elles n'ont rien en commun, et pourtant, elles créent une ambiance stimulante si, en oubliant d'éventuelles objections, on les noue dans un seul bouquet.

Les différents aspects d'un contenu

Celui qui connaît bien les plantes, les a, en général, perçues sous des angles différents ; il a fait des expériences avec leur personnalité, leur port, leur caractère, leur lien avec les saisons, pendant lesquelles elles sont disponibles. On s'est alors fait une opinion sur telle ou telle plante ou le matériau en général.

Le point de vue qu'on a adopté, ne dépend pas uniquement de son propre regard ou de sa propre sensibilité, mais des influences extérieures, perçues ou inaperçues, voulues ou subies, s'y ajoutent.

Avant de commencer un travail, on passe en revue et on classe le matériau. Dans ce travail, la forme aboutie de la gerbe est pratiquement implicite, tout en nous laissant une marge de manœuvre qui est relativement confortable, mais qui n'est pas à confondre avec une décision réellement libre.

Pour pouvoir prendre une décision esthétique libre, nous devons trouver un point de vue personnel, en faisant d'abord abstraction de l'arrière-pensée de « l'utilité » des plantes. Cette base peut influencer profondément le sens esthétique, à condition que les impulsions libérées dans ce processus soient acceptées, et non pas manipulées. Cela permet de construire un rapport intense tout à fait autonome et multilatéral entre le moment où naît l'impulsion, où on le reçoit, et où on commence à travailler avec elle. C'est de l'intensité de ce processus que naissent le contenu et la signification. Sans cette démarche de développement d'un apport basé sur la sensibilité personnelle, tout ouvrage reste une affaire purement formelle, sans substance du contenu.

Par le contenu il ne faut surtout pas entendre quelque chose qui a son origine dans une sentimentalité au sens négatif, quelque chose qui ne représente qu'une façade féerique et qui devient porteur de symboles et de significations à caractère-trivial.

Dans le cas des ouvrages à orientation artisanale, il suffit que la composition reste dans les limites qui sont fixées par le matériau et par le but que l'on se propose, cela est même souhaitable.

Au-delà de cette optique, il faut pourtant constater que les plantes et les fleurs possèdent une esthétique intérieure. Il ne faut pas la confondre avec « le message » de la plante qui se trouve sur un terrain risqué. Et qui provoque facilement une restriction unilatérale de notre attente, vu que ce « message » peut être limité, sans problème, à la perception de traits caractéristiques purement extérieurs.

L'esthétique des plantes est nettement plus compliquée. Elle existe sans qu'on soit obligé de faire ressortir de belles formes de détail, et elle existe surtout indépendamment de nous. Nous ne réussirions jamais à esquisser, ni à développer, les structures internes et les éléments de construction formant les organismes qui, dans leur fonctionnement, se suffisent à eux-même. Le même problème existe pour leur intégration dans les différentes communautés de végétation. C'est justement cette complexité esthétique qui rend nos réactions problématiques et difficiles. Sans nous, les plantes, dans l'ensemble de la végétation, sont belles, et notre façon de procéder, quelle qu'elle soit, enlève quelque chose de cette beauté. Nous ne pouvons rien y ajouter, seulement enlever, atteindre des effets partiels, au détriment de l'entité.

Cette appropriation des formes végétales ne peut être adoucie que par un chemin personnel de recherches artistiques qui nous rend conscient de la force des plantes, force qui les conduit à l'unité et à l'auto-suffisance. Cela ne signifie pas une restriction et une limitation, mais une diversité inouïe grâce à la complexité de la vie végétale.

Des bouquets qui racontent des histoires

Quand les bouquets racontent des histoires, il s'agit d'interprétations personnelles à partir de fleurs et de bouquets. Pour cela, il faut une étude intensive préalable de plantes et de formes d'expression. Le but à atteindre n'est pas l'harmonie d'un beau bouquet (ce n'est là qu'un but annexe), mais la création de gerbes qui se situent en-dehors des modèles et des bases habituelles. Elles se créent à partir de phénomènes et d'impulsions provenant de domaines très différents :

- la nature végétale et ses différentes formes de croissance
- les phases de développement et les saisons
- les thèmes historiques
- les associations d'images et d'expériences.

Les histoires doivent se passer d'indications explicatives ; l'élément narratif doit uniquement résulter du contenu et de la forme. Ces histoires racontées par les bouquets, ont besoin d'un observateur qui interprète, à sa façon, les suggestions et les relations présentées. Cela n'a rien à voir avec un « code floral » mystérieux. Grâce à un style personnel, des connaissances et de moyens précis employés, la gerbe est devenue un ouvrage complexe qui ne devrait pas être expliqué d'une façon précise.

Des histoires de ce genre peuvent englober des thèmes et des points de vue divers et variés. Ils constituent la base sur laquelle se construit la totalité des matériaux, en suivant le fil conducteur du récit.

Des orchidées. Ces fleurs sont des solitaires excentriques, des fleurs précieuses et splendides de la bourgeoisie ascendante du passé.

Une histoire autour du bleu

Un bouquet bleu n'est pas une histoire du bleu. Tout le monde y verra un bouquet composé de fleurs bleues. Mais lorsque le bleu est intégré dans une prise de position et une perspective personnelles, une « histoire » peut naître. Voici des exemples :

- l'uniformité, la sécheresse et la monotonie – et voici, comme un événement, une seule fleur purement bleue qui ne vire pas au violet.
- une masse de fleurs jaunes et blanches est arrêtée par quelques fleurs bleues isolées.
- des histoires de pluie dont les bouquets ont des fleurs retombantes, plissées.
- des histoires de l'entrée méridionale de la cour, avec des feuilles très serrées et poussiéreuses d'arums d'Ethiopie, et, parmi elles, quelques fleurs isolées, merveilleusement lumineuses.

La splendeur et l'abondance

Un bouquet abondant montre sa richesse et sa plénitude, quelque soit le caractère de la gerbe. Et pourtant, l'« abondance » veut dire plus que masse, volume et générosité. L'abondance est avant tout un état splendide, exigeant et précieux.

L'abondance peut être vivante et puissante, comme dans le baroque, où elle repousse les limites d'une façon dynamique et pleine de vitalité. En même temps, elle offre une richesse visuelle plutôt qu'un véritable contenu. La splendeur du baroque peut être liée à l'illusion et à la superficialité, mais aussi aux symboles et aux allégories.

Ce sont surtout les compositions des années de fondation* qui montrent un type de splendeur décadent et maniéré. Cette époque se perd dans toutes sortes de modèles et d'ornements qui étaient à la mode à des époques plus anciennes.

Dans notre cas, les fleurs ont uniquemant une fonction décorative, et il s'agit de mettre en avant cet aspect, sans se soucier beaucoup des propriétés des formes végétales ; plus on peut faire cela, plus le travail peut avancer vers le but envisagé.

L'idée de déployer toute la splendeur est forcément liée à celle d'illusion et de spectacle. Prenant appui sur des modèles plus anciens (le baroque vigoureux, les années de fondation sans style), prennent naissance des formes magnifiques qui interprètent et utilisent le passé à leur façon. Mais il ne peut pas s'agir de simples répétitions, ni de décoration ou d'imitation dépourvue d'imagination. Il est plus attrayant de mettre en rapport le déploiement décadent et démodé de la splendeur avec des formes actuelles ou même la décadence de notre époque.

On se trouve alors sur la corde raide entre l'exigeance et le kitsch, ce qui peut amener des tensions et des résul-

*. Voir note page 11.

L'ornement et la splendeur. Parfois, des réminiscences de formes anciennes sont bien à leur place ; elles peuvent produire des effets assez puissants si on les présente de façon juste.

Un processus. Les changements de la forme, de la couleur et du contenu, fournissent pour ce bouquet le fil conducteur ainsi qu'une expression poétique.

L'hortensia, Dioscorea, *les fils de* Carex. *Ces éléments-là ont été utilisés, parmi d'autres, pour nouer un bouquet vert ou à moitié sec.*

tats nouveaux. Sans arrière-plan vivant, un retour vers des choses anciennes, quel qu'il soit, apporte toujours une période de déclin dans une évolution. Lorsque des styles, des formes et des compositions sont affinés, on observe souvent, à côté du processus d'affinement et de sublimation, les premiers signes de fadeur et de décadence. Si on est conscient de ce fait, on peut parfois réunir des représentations très différentes des formes et des matériaux.

La splendeur des accessoires anciens peut apporter des éléments d'ambiance à condition que ceux-ci ne soient pas employés pour eux-mêmes, mais pour compléter et contrebalançer d'une façon sensée la forme et le thème d'une gerbe.

La conservation et le dépérissement

La qualité impeccable de toutes les fleurs et des autres parties végétales doit être posée comme condition indispensable pour tous les bouquets. Aucune tige ne doit être d'une qualité moindre, rien ne doit être trop peu développé, rien ne doit être trop épanoui. La majeure partie des matériaux d'un bouquet doit se faner en même temps.

Une rose qui est très épanouie, est, souvent, à ce stade-là, d'une beauté incomparable. Celui qui achète une rose, voudrait vivre le moment où le bouton s'ouvre, et il ne voudrait pas qu'on le prive de ce moment, s'il s'est déjà produit avant l'achat. L'exigence d'une longue conservation peut être satisfaite grâce au choix du meilleur moment de récolte et grâce à un traitement soigneux de la plante.

Le client a le droit de vivre la courte période entre l'ouverture du bouton et le plein épanouissement de la fleur.

Dans la vie d'une plante, il y a beaucoup d'étapes différentes plus ou moins spectaculaires. La période pendant laquelle naît la fleur, est de loin la plus attrayante. Chez la plante, tout tend vers ce processus, ainsi que celui de la maturation du fruit. Indépendamment du caractère spectaculaire, chaque phase dans le développement d'une

Tenir et attacher. Ce sont là des gestes fondamentaux pour chaque bouquet. Si l'on commence d'une façon plutôt enjouée à tresser, à nouer et à regrouper, on peut aboutir à des aspects et à des formes inattendus. Dans le cas présent, on peut vraisemblablement se passer du lien habituel : les lis, Achillea, *la giroflée, les fruits du pavot, le foin, les bandes de carton.*

Un petit bouquet dans du papier journal. Exprime un raffinement subtil. Ce bouquet ressemble un peu au « cornet » ancien. Le fond de bouquet est stable ; les branches entourent l'ensemble.

Des bottes de tailles différentes. Ces précurseurs des bouquets parallèles nous convainquent par leur simplicité logique. De la prêle et des ellébores.

plante a sa beauté : cela va de la graine au germe, au développement des pousses et des feuilles, aux bourgeons, à la fleur et au fruit et, au-delà, jusqu'au flétrissement et au dépérissement total. Lorsq'une plante se fane, et que les parties au-dessus de sol ou tout l'organisme dépérissent, il n'y a pas dans ce processus, de moments laids, à condition qu'il signifie la fin naturelle de la vie végétale.

Pour nouer une gerbe, il ne faut bien évidemment pas prendre de plantes qui se trouvent encore au stade du germe ou qui ne sortent que leurs premières feuilles. Il ne faut pas non plus utiliser des fleurs qui pendent de leurs tiges, complètement abîmées, après les premiers gels. Retenons pourtant le lien esthétique remarquable entre tous ces processus.

On peut d'ailleurs s'en approcher doucement : la fleur à l'état de bouton, mise avec d'autres à différents stades de la floraison, montre un certain aspect propre à des familles et des espèces de plantes. En faisant un pas de plus, nous remarquons que des fleurs ouvertes forment une unité avec des fleurs et des pétales en train de tomber et aussi avec les premières ébauches de réceptacles. Une démarche conséquente serait maintenant un travail sur des gerbes qui contiennent des parties végétales encore plus avancées, jusqu'aux arrangements qui intègrent la perte de la forme originelle, le jaunissement, de devenir sec et de se dessécher complètement. Pour cela, il faut trouver des points de vues esthétiques personnels qui tirent des éléments stimulants et un contenu de ces processus évolutifs. Il est tout à fait évident que les processus de l'évolution végétale possèdent dans une large mesure des impulsions créatrices. Si on réussit à s'en saisir et à travailler avec elles, on arrive à des images d'une plus grande intensité que celles qui naissent grâce à la beauté homogène de la fleur.

Des formes anciennes comme sources d'inspiration

Il ne reste presque plus rien de la manière traditionnelle de s'occuper de fleurs et de plantes. Quelques rares formes coutumières ont pu garder un lien avec la signification de ces coutumes. Dans la plupart des cas, nous ne connaissons plus les origines de ces formes sur lesquelles nous travaillons occasionnellement, d'après des représentations de l'époque. Certes, on peut se renseigner sur les origines et la signification de tout cela, mais les gerbes de ce genre ne correspondent plus à un besoin et n'ont plus de caractère vivant. A cela s'ajoute que bon nombre de ces coutumes ont une forte affinité avec l'idée du « sol et du sang », ayant été édulcorées et stylisées pendant l'époque en question, pour atteindre une signification exagérée qu'elles n'ont très probablement jamais possédée.

Toutes ces formes et tous ces procédés peuvent néanmoins fournir des indications extrêmement intéressantes, surtout lorsqu'on les détache de significations traditionnelles qui n'ont plus de sens. Les premières décorations florales peuvent être observées sur quelques frises, vases ou fresques, souvent comme supplément à d'autre scènes, comme les bottes de fleur de lotus, etc., en Egypte. Des objets réels comme des colliers de feuilles et des petits sacs tressés peuvent être admirés dans les musées. Chez les Grecs et les Romains, il y avait sans doute, à côté des guirlandes et des gerbes, d'autres formes, mais on ne possède pour cela presque pas d'indicaitons concrètes et concluantes. L'histoire de l'art et l'ethnologie se sont uniquement penchées

Des bottes et des gerbes montées sur des bâtons. Ces gerbes à caractère populaire, composées de thuya, de buis, de branches de bouleau, de feuilles de chêne et de chatons, sont nouées autour de bâtons. On peut les utiliser de diverses façons : elles peuvent être enfoncées dans la terre, posées contre un mur ou disposées, dans un récipient.

Un bouquet modeste. Avec des fraises sauvages, du trèfle (Lotus corniculatus) *et une seule rose, on a composé ici un bouquet sans aucune prétention. Pour que sa modestie ne soit pas trop prononcée, on l'a mis dans un récipient d'épis de blé.*

sur l'architecture des jardins et l'horticulture et n'ont jamais pénétré scientifiquement ce domaine ; on est là en pleine spéculation et on reste dans des hypothèses.

On peut, sous l'influence de représentations et de modèles graphiques de l'époque, percevoir les anciennes formes pour se laisser inspirer par elles. Pour certains projets, cela est tout à fait utile. Il faut seulement savoir qu'en faisant cela, on ne quitte jamais le domaine de la décoration, surtout parce que les contenus, le symbolisme et les sources dans lesquelles ils puisent, ne sont plus vivants. Ce sont avant tout les procédés « artisanaux », plus que les vieilles formes rigides, qui constituent une forme originelle de travail avec des plantes ; ils sont attrayants parce qu'ils restent vivants et capables d'évoluer. Il s'agit là d'activités pleines de sens qui s'avèrent efficaces et qui restent limitées au strict nécessaire.

Il suffit alors de se représenter des gestes originals simples pour s'ouvrir à un domaine d'une grande richesse :

- cueillir
- rassembler
- enrouler
- envelopper
- tresser

Ce ne sont là que quelques-une des activités nombreuses de la vie quotidienne. En partant de ces activités, on peut trouver des formes qui, tout en étant anciennes, peuvent devenir des sources d'inspiration, au-delà d'une approche purement historique.

En ce qui concerne les bouquets et les gerbes, de nombreux points de départ résultent de cette démarche.

Le bouquet buissonnant

Le bouquet buissonnant est une gerbe simple, moins un bouquet qu'un fagot de fleurs sans prétention, mais quelques

Poussière d'or. Ce petit bouquet est composé de matériaux très discrets : des feuilles de chêne, des branches de pin, du feuillage d'ellébore ainsi que quelques fruits. Les feuilles du milieu sont légèrement saupoudrées de poudre d'or.

conditions sont liées à sa confection. La botte d'herbes lui est très proche.

On peut sans doute considérer le bouquet buissonnant comme une sorte de bouquet vivant et très peu compliqué. Une simple botte de fleurs ne constitue pourtant pas encore un bouquet buissonnant, car celui-ci possède un ordre particulier qui se développe à partir du matériau et qui est lié à la personne qui le noue. Il est indispensable de cultiver une approche pleine de sympathie pour les fleurs, et même une certaine naïveté ; on réunit alors des fleurs pour leurs formes et couleurs personnifiées, moins pour leurs traits caractéristiques du végétal.

Le bouquet buissonnant est une gerbe champêtre composée de fleurs du jardin et des champs ; des fleurs de serre précieuses ou des plantes exotiques n'ont rien à faire ici. La disposition est simple et saute aux yeux. Les fleurs et les éléments verts se réunissent en une forme plutôt compacte qui n'est pas particulièrement grande. Les tiges se rencontrent à l'endroit du lien qu'on met volontiers en valeur. Cela veut dire que la base de la botte a aussi une fonction formelle importante.

Des formes romantiques

A notre époque, les bouquets romantiques et ceux de la période dite Biedermeier (1815-1848) trouvent encore un écho, bien qu'ils n'aient jamais existé, au moins tels que nous nous les représentons. Le Biedermeier est une période typiquement allemande ; d'un côté, elle fait encore partie de la période romantique, de l'autre, elle appartient déjà au réalisme. A cette époque, le retrait dans la vie privée, trait caractéristique de l'époque, était

Une première composition romantique. Des branches raides et âpres ne sont pas vraiment des partenaires faciles pour un bouquet romantique, aussi peu que la paille. Cependant, la faculté de développer des associations trouvera des interprétations personnelles, si on ose confronter ces éléments aux roses.

Une autre composition romantique. Les résédas, les roses et la menthe blanche et verte sont des fleurs romantiques par excellence : l'observateur n'a même pas besoin de mobiliser son imagination outre mesure. L'impression romantique peut se rattacher aux espèces végétales isolées, mais il peut aussi y avoir une impression d'harmonie globale.

dû au climat de restauration politique. Le mobilier devait être utile et modeste, la peinture de genre vit une période faste, l'amour du détail était aussi présent que celui de la nature.

Mais il n'est pas tout à fait juste de confondre l'époque Biedermeier et la période romantique. Le romantisme ne connaît pas le côté « petit bourgeois » de la mentalité du Biedermeier ; il cherche plutôt à réconcilier la raison et l'inconscient. Le romantisme incarne la recherche d'idéaux inaccessibles, d'images porteuses de signification, de symboles : les fleurs, la forêt, la grotte, le labyrinthe, etc.

La mentalité du Biedermeier en reste à des valeurs bourgeoises et petit-bourgeoises, rendues visibles dans la sobriété du mobilier et des intérieurs. Le fait d'aimer et de contempler la nature fait partie de cet esprit, au même titre que les formes modestes des arrangements floraux : il s'agit de petits bouquets, composés de fleurs des jardins et des champs. C'est l'époque du « langage des fleurs », mais qui n'a d'ailleurs jamais été vraiment populaire : la lecture de vieux bréviaires peut nous en convaincre. On trouve surtout ses traces dans un bon nombre de sermonnaires et d'almanachs.

De cette époque-là, qu'est-ce qui nous reste, au juste, d'intéressant ? Les bouquets Biedermeier sont trop présents ; on les traite assez de haut : il est vrai que cet esprit casanier et sentimental, trop étriqué, n'apporte pas grand-chose à la composition. Le côté romantique, s'il est guidé par l'imagination et la sensibilité, nous intéresse davantage. Pour ne pas en rester à des gestes extérieurs et à des imitations de cette époque, il doit nécessairement y avoir un arrière-plan substantiel qui doit aller de pair avec la faculté de trouver pour les plantes d'autres définitions.

L'équilibre parfait des formes classiques

Le concept de « forme classique » peut être interprété de différentes façons. Dans le langage habituel du fleuriste, on entend souvent par là des formes anciennes qui se sont maintenues sur de longues périodes. D'un point de vue objectif, il ne s'agit pas d'une évaluation, mais de quelque chose qui existe depuis longtemps, comme, par exemple, les iris et les œillets peuvent être considérés comme, le bouquet classique des années 1950.

Un bouquet décoratif d'un caractère classique. La construction de ce bouquet n'est pas trop symétrique, mais elle part du milieu d'une façon équilibrée. Toutes les fleurs s'intègrent à cette forme qui prend comme exemple des modèles anciens : glaïeuls, feuilles d'acanthe, des nerines, Aster ericoides, *des œillets,* Lisianthus, Euonymus, *des fuchsias, des feuilles de* Prunus, *etc.*

Le concept « classique » peut aussi désigner des ouvrages qui se réfèrent à un passé, qui ont établi des normes exemplaires et des critères qui indiquent une direction. Ce phénomène peut remonter loin dans le passé, mais il peut aussi être assez récent ; il peut englober tous les domaines de la culture et de la vie ou bien se limiter seulement à quelques-uns.

On a surtout désigné comme classique tout ce qui est en lien avec l'antiquité greco-romaine. Cette époque était un modèle pour un grand nombre de formes artistiques et architecturales des époques postérieures. Toute une époque en était imprégnée : le classicisme qui prenait comme modèles les œuvres artistiques de l'époque classique grecque. Pour la composition florale, ces époques n'ont qu'une signification historique et on les mentionne surtout pour se faire une image générale de leurs acquis. Le classicisme comprend la période entre 1760 et 1830 ; il prend la place du style rococo et présente des formes nettes et sévères.

Comme le terme « classique » est donc employé de différentes façons – ce qui est possible et compréhensible – nous voudrions l'utiliser pour un style qui trouve un aboutissement en soi, une harmonie entre le contenu et la forme, et qui n'a pas forcément besoin de se référer à des modèles antiques. Il est plus fructueux de comprendre ce terme comme un moment où s'est développé un style, quelque chose d'équilibré, d'organique, ce qui peut donc se produire à des époques très différentes. Cet équilibre classique avait sans doute aussi, d'une manière ou d'une autre, une influence sur les compositions florales.

Les tentatives dans lesquelles on se sert de modèles classiques pour les faire revivre, peuvent être dynamiques et intéressantes, s'il ne s'agit pas de simples imitations. L'inspiration peut venir de modèles de l'époque de la Renaissance, mais aussi des années 1950 : de nos jours, les bouquets de l'époque des tables en forme de palette, adaptés aux intérieurs de celle-ci, peuvent très bien être ressentis comme classiques.

Bibliographie

Colette Baumann : l'art floral, Ed. Presse du Compagnonnage, Paris 1976.

id. : Manuel du fleuriste, Ed. Baillière, Paris

id. : Les bouquets de la mariée et les bouquets décoratifs, en vente chez l'auteur, 98 Bld. Montparnasse, 75014 Paris

Marianne Beuchert : Sträusse aus meinem Garten. Verlag Eugen Ulmer, Stuttgart 1991.

W. Braunsdorf : Die Blumenbinderei in ihrem ganzen Umfange. A. Hartleben's Verlag, Wien 1890.

Laurence Buffet-Challié : L'art des fleurs en Europe, Office du Livre, Fribourg (Suisse)

Johannes Itten : Die Kunst der Farbe. Otto Maier Verlag, Ravensburg 1961.

Franz Kolbrand : Der Grün- und Blumenschmuck. Reichsnährstands-Verlag, Berlin 1937.

Willy Lange : Die Blumenbinderei. J.H. Weber, Leipzig 1903.

Alfred Lichtwark : Blumenkultus. Verlag Gerhard Kühnmann, Dresden 1901.

J. Olbertz : Bindekunst und Blumenschmuck. Verlag Heinrich Killinger, Nordhausen 1922.

Ouvrage collectif : Bouquets secs, Ed. Fleurus Idées

Madeleine Morin : L'art floral dans votre maison, Ed. Floraisse (Librairie Larousse)

Curt Reiter : Die Praxis der Schnittblumengärtnerei. Verlag Paul Parey, Berlin 1916.

Hermann Rothe : Die Praxis der Blumenkunst. Verlag Paul Parey, Berlin 1935.

J.C. Schmidt : Die Bindekunst. Sans éditeur. Erfurt, environ 1900.

Index

Les numéros suivis d'un * se réfèrent à des photos.

Ambiances 23, 87
Apport en eau 82
Arrangement (cornet) 14*
Art de nouer les bouquets 91, 102
Asymétrie 30, 33, 34, 107

Bases naturelles 30
Branchage 115, 123, 126, 144
Bottes 72, 163
Bouquet 11, 13*, 14*
- avec « des fleurs du jardin » 10*
- Biedermeier 13*
- buissonnant 10*, 77, 163
- couché 79, 80*
- décoratif 88*, 89*, 90*, 91*, 96
- destiné à un vase 9*, 72
- d'herbes 13*
- d'ornement 92
- en forme de pyramide 14*
- lié en haut 29*
- linéaire 27*, 59
- Makart 10*
- monté sur un tuteur 79*
- mural 77, 78*
- naturel 85*, 86*, 149
- naturel allemand 16*
- parallel 27*
- (petit) -romantique 12*
- rond 11, 13*, 28*, 29*, 90*, 91
- sans fixation 72
- spontané 16*
- strictement formel et linéaire 27*
- structuré 29*, 100*
- suspendu 29*, 79
- symétrique 81
- végétatif 27*, 85*, 86*, 90

Caractère 48, 49, 50
Chaos 30, 34
Chrysanthèmes 138, 139
Composition 92
Conservation 9, 82
Constitution d'une plante 45
Contraste 120
Couleurs 55
- cercle 56
- complémentarité 53*, 56
- contraste 56
- effet 55
- harmonie 53*
- modes 57
- ordre 55
- température 57

Dessin 85
Dimensions 105
Dissonance 103, 104
Domination 34*, 107
Dommages 82

Effet 24
- simultané 56, 57
Emballage 83
Entretoisements 76*
Équilibre 33
Esthétique 48, 153, 156
Été 116
Éthylène 83
Évolution historique 9, 10
Expression 36*
- naturelle 85, 86, 87, 88, 149

Feuillage 143
Fil de fer 63, 65, 128
Fixation 74*
Fleurs
- à la mode 18, 20
- d'automne 121, 122, 123
- d'été 116, 117, 118, 120
- d'hiver 124
- de printemps 111, 114, 115
- de serre 11*, 126
- particulières 24
- symboliques 51, 53
Forme 37
Forme brisée 103
Formes drapées 101
Forme interrompue 103
Forme sphérique 101
Forme stricte 96*
Formes de gerbes 8*, 11
Formes de récipients 60*, 61*
Formes dominantes 38, 39*
Formes nobles 38
Formes prestigieuses 38, 39*
Formes solitaires 38

Gel de silice 9*
Gerbera 139, 141
Glycérine 9
Graphisme 94, 95

Harmonie 28, 30, 106
Histoire florale 9
Hiver 124

Imitation 28
Interdépendance (bouquet-récipient) 58
Interprétation 156

Lis 142

Maturité (au moment de la coupe) 83
Mauvaises herbes 151
Mouvement 32*, 41, 86, 103
- naturel 40*, 41*

Nettoyage 82
Nouer les bouquets 66
- matériaux adéquats 66
- technique 66, 67*, 68, 109*

Œillets 133
Ordre 30
Origine des plantes 45, 46, 152

Période de floraison 87
Plantes sauvages 149, 151, 152
Pré-liage 16
Principe d'ordre 36
Printemps 111
Processus d''évolution 157, 160
Production d'éthylène 83
Proportions 31, 59, 105, 106, 107

Qualités matérielles 49, 50, 51, 98, 99, 100
Quantités 36

Rayonnement 48
Récipient 58
Réception de l'observateur 48

Réflexion 55
Renforcer la tige 63, 65*
Roses 130, 131

Saisons 87
Saule pleureur 52
Section d'or 31, 106
Soins pour les fleurs coupées 82, 83
Spectre (couleurs) 54, 55
Statique 33
Structure 96
Surface (de la feuille) 99*
Symbolisme
- de la nature 51, 52
- des plantes 51, 54
Symétrie 30

Texture 50, 98
Transport 83
Tulipes 135, 138

Verdure 21, 143, 144